지금 아니면 언제?
(One Day or Day One?)

지은이 혜천(慧天) 이지해

계획하기만 했던 하루를 시작하는 하루로 만들어요.

지금 하지 않은 일로 인해 20년 후에 더 큰 후회를 하게 될 것입니다.
그러니 배의 밧줄을 풀어 안전한 항구를 떠나십시오.
무역풍을 타고 항해하십시오. 탐험하고, 꿈꾸고, 발견하십시오.

Twenty years from now you will be more disappointed by
the things that you didn't do than by the ones you did do.
So throw off the bowlines. Sail away from the safe harbor.
Catch the trade winds in your sails. Explore. Dream. Discover.

마크 트웨인 (Mark Twain)

왜 지금 시작해야 하는가?

변화를 이끌어내기 위해서는
미루는 습관을 극복하고
작은 행동부터 시작해야 합니다.
작은 씨앗을 심어
변화의 첫 단계를 시작하고,
효과적인 전략을 통해
실천에 옮기는 것이 중요합니다.
부지런한 행동이 변화를 이루는 데 있어
중요하며, 부지런함을 키워 변화를
이끌어낼 수 있습니다.

지금 아니면 언제? (One Day or Day One?)

계획하기만 했던 하루를 시작하는 하루로 만들어요.

발행: 2024년 06월 05일
지은이: 혜천(慧天) 이지해 (평강사임당)
편집: 최윤경 / 디자인: 최윤경

펴낸이: 한건희
펴낸곳: 주식회사 부크크
출판사등록: 2014.07.15.(제2014-16호)
주   소: 서울특별시 금천구 가산디지털1로 119 SK트윈타워 A동 305호
전   화: 1670-8316
전자우편: info@bookk.co.kr

ISBN 979-11-410-8804-0

www.bookk.co.kr
copyright ⓒ 혜천(慧天) 이지해 (평강사임당) 2024

차례

프롤로그 (Prologue) • 5

서문 지금 아니면 언제?(One Day or Day One?) · 7
1. 지금 아니면 언제?(One Day or Day One?)
2. 독자가 얻을 수 있는 핵심 포인트

01장 동기부여의 필요성 ·················· 13
1. 현대 사회에서의 동기부여
2. 동기부여가 부족한 이유
3. 동기부여의 심리적 메커니즘

02장 목표 설정과 성취 ·················· 35
1. 목표 설정의 중요성
2. 장기적 목표와 단기적 목표
3. 목표 성취 전략

03장 "One Day"와 "Day One"의 차이 ·················· 53
1. 미루는 습관의 심리학
2. 즉각적인 행동의 중요성
3. "One Day"에서 "Day One"으로 전환하기

04장 동기부여를 유지하는 방법 ·················· 69
1. 작은 목표 설정 및 달성
2. 자기 보상 시스템
3. 지속적인 자기 평가와 피드백

05장 성공적인 습관 형성 ·················· 85
1. 좋은 습관과 나쁜 습관
2. 습관 형성의 단계
3. 성공적인 습관 형성을 위한 전략

06장 실패와 좌절 극복··· 99

    1. 실패의 가치와 교훈
    2. 실패를 극복하는 방법
    3. 회복 탄력성 키우기

07장 목표 달성을 위한 실천 전략··················· 115

    1. SMART 목표 설정
    2. 시간 관리와 우선순위 설정
    3. 실천 가능한 계획 수립

08장 성공 사례 분석··································· 129

    1. 유명인들의 동기부여 사례
    2. 일상 생활에서의 성공 사례
    3. 실천 가능한 조언과 팁

09장 삶의 목적 발견···································· 145

    1. 자기 인식과 성찰
    2. 삶의 목적 설정
    3. 목적 중심의 삶 살기

10장 지속 가능한 동기부여························· 161

    1. 장기적 동기부여 유지 방법
    2. 동기부여 자원 활용
    3. 지속 가능한 동기부여 시스템 구축

결론 독자에게 주는 메시지 · 175

    1. 책에서 다룬 주요 내용 요약
    2. 독자에게 주는 최종 메시지

부록: 참고문헌 및 추천도서 · 179

작가 인사말(이지해) · 182

에필로그(Epilogue) · 183

프롤로그 Prologue

　안녕하세요, 독자 여러분. 이 책 "지금 아니면 언제? (One Day or Day One?)"을 통해 여러분과 만날 수 있게 되어 매우 기쁩니다. 우리는 종종 '언젠가'라는 말을 하며 목표를 미루곤 합니다. 그러나 '언젠가'는 대부분의 경우 '결코'와 동의어가 됩니다. 이 책은 '언젠가'를 '오늘'로 바꾸는 방법을 제시하며, 지금 이 순간부터 변화와 성취를 시작하도록 돕고자 합니다.

　여러분은 인생의 어느 순간에 목표를 설정하고 이를 달성하기 위해 노력해본 적이 있을 것입니다. 하지만 동기부여를 유지하고 지속적으로 나아가는 것은 결코 쉬운 일이 아닙니다. 이 책은 이러한 어려움을 극복하고 꾸준히 목표를 향해 나아갈 수 있는 실질적인 방법을 제공하는 데 중점을 두고 있습니다.

　이 책에서는 동기부여의 기본 원칙에서부터 구체적인 목표 설정 방법, 실패와 좌절 극복, 지속 가능한 동기부여 시스템 구축에 이르기까지 체계적으로 다루고 있습니다. 예를 들어, 동기부여의 심리적 메커니즘을 이해하고, 이를 통해 자신에게 가장 효과적인 동기부여 방식을 찾는 방법을 배웁니다. 또한, SMART 목표 설정법을 통해 명확하고 달성 가능한 목표를 설정하는 방법을 익히고, 이를 실천하는 구체적인 전략을 제시합니다.

　책의 각 장마다 실생활 사례와 활동을 통해 여러분이 배운 이론을 실제 생활에 적용할 수 있도록 돕습니다. 예를 들어, 작은 목표를 설정하고 달성하는 방법, 자기 보상 시스템 도입, 지속적인 자기 평가와 피드백 등을 통해 지속 가능한 성공을 이룰 수 있습니다. 이러한 과정을 통해 여러분은 작은 성취를 하나씩 쌓아가며 자신감을 얻고, 더 큰 목표를 향해 나아갈 수 있을 것입니다.

이 책의 목적은 단순히 동기부여를 제공하는 것에 그치지 않습니다. 저는 여러분이 이 책을 통해 자신의 목표를 다시 한 번 떠올리고, 그 목표를 향해 한 걸음 더 나아가기를 바랍니다. 목표를 이루는 길은 쉽지 않지만, 포기하지 않고 꾸준히 노력하는 자세가 중요합니다. 이 책이 여러분의 여정에 작은 등불이 되기를 희망합니다.

또한, 이 책을 통해 자신만의 동기부여 시스템을 구축하고, 이를 통해 지속적으로 성장해 나가길 바랍니다. 오늘이 여러분의 'Day One'이 될 수 있습니다. 중요한 것은 결심과 실행입니다. 목표를 설정하고, 작은 단계부터 시작하여 꾸준히 실천하십시오. 이 책을 통해 얻은 지식과 전략이 여러분의 삶에 긍정적인 변화를 가져오기를 진심으로 기원합니다.

이 책을 읽는 동안, 여러분의 삶에서 'One Day'를 'Day One'으로 바꾸는 중요한 순간들을 경험하게 되기를 희망합니다. 오늘이 바로 그 시작입니다. 여러분이 이 책을 통해 새로운 시작을 할 수 있기를 바랍니다. 지금 이 순간이 여러분의 'Day One'입니다. 감사합니다.

서문 지금 아니면 언제? (One Day or Day One?)

"지금 아니면 언제? (One Day or Day One?)"는 독자들에게 진정한 변화를 이끌어내는 방법을 제공합니다. 이 책은 '언젠가'를 '오늘'로 바꾸는 원칙을 가르치며, 목표 설정과 달성, 실패 극복 및 지속 가능한 습관 형성에 대해 배울 수 있습니다. 이를 통해 독자들이 더 나은 삶을 살기 위한 첫걸음을 돕습니다.

1. 지금 아니면 언제? (One Day or Day One?)

"지금 아니면 언제? (One Day or Day One?)"라는 제목의 이 책은 독자 여러분이 자신의 삶에서 진정한 변화를 이끌어내기 위한 동기부여와 실천 전략을 제공하는 데 초점을 맞추고 있습니다. 우리는 종종 '언젠가'라는 말을 하며 목표를 미루곤 합니다. 그러나 '언젠가'는 대부분의 경우 '결코'와 동의어가 됩니다. 이 책은 '언젠가'를 '오늘'로 바꾸는 방법을 제시하며, 지금 이 순간부터 변화와 성취를 시작하도록 돕고자 합니다. 이는 단순히 이론적인 설명에 그치지 않고, 실질적인 방법과 도구를 통해 독자가 직접 실천할 수 있는 구체적인 지침을 제공합니다.

이 책은 다양한 이론적 배경, 실생활 사례, 실습 및 활동을 통해 독자들이 동기부여를 얻고 유지할 수 있는 구체적인 방법을 소개합니다. 이를 통해 독자는 자신의 목표를 명확히 설정하고, 이를 달성하기 위한 전략을 체계적으로 구축할 수 있습니다. 또한, 목표 설정에서부터 실패 극복, 지속 가능한 동기부여 방법에 이르기까지 체계적으로 다루고 있습니다. 이는 단순한 이론서가 아니라, 실제 적용 가능한 실질적인 가이드입니다. 독자는 이 책을 통해 자신의 잠재력을 최대한 발휘하고, 원하는 목표를 달성하는 데 필요한 모든 것을 배울 수 있습니다.

이 책은 독자들이 더 이상 'One Day'라고 말하지 않고 'Day One'이라고 선언하는 삶을 살도록 도와줄 것입니다. 각 장에서는 동기부여의 기본 원리와 실천 방법을 소개하고, 이를 통해 자신의 삶에 변화를 가져오는 방법을 제시합니다. 동기부여가 왜 중요한지, 어떻게 지속할 수 있는지, 그리고 목표를 설정하고 달성하는 방법

등을 구체적으로 다루며, 독자가 실생활에서 바로 적용할 수 있는 유용한 도구와 자원을 제공합니다. 이를 통해 독자는 자신의 잠재력을 최대한 발휘하고, 원하는 목표를 달성할 수 있는 실질적인 방법을 배우게 될 것입니다.

이 책을 통해 독자는 동기부여의 기본 원칙을 이해하고, 이를 통해 자신에게 가장 효과적인 동기부여 방식을 찾을 수 있습니다. 또한, SMART 목표 설정법을 통해 명확하고 달성 가능한 목표를 설정하는 방법을 익힐 수 있습니다. 실패와 좌절을 두려워하지 않고, 이를 학습과 성장의 기회로 삼는 회복 탄력성을 키우는 방법도 배울 수 있습니다. 좋은 습관을 형성하고 나쁜 습관을 교정하여, 지속 가능한 성공을 이룰 수 있는 방법도 익힐 수 있습니다. 실생활 사례와 성공적인 사람들의 이야기를 통해, 자신의 목표를 달성하기 위한 구체적인 전략과 팁도 얻을 수 있습니다.

이 책은 단순히 동기부여를 주는 것에 그치지 않고, 독자가 실질적인 변화를 경험할 수 있도록 돕는 데 중점을 두고 있습니다. 따라서 독자는 이 책을 통해 얻은 지식과 도구를 활용하여, 자신의 삶을 보다 의미 있고, 성취감 넘치는 방향으로 이끌어 갈 수 있을 것입니다. 이 책은 여러분이 더 나은 삶을 살기 위한 첫 걸음을 내딛도록 돕고, 지속 가능한 성공을 이루는 데 필요한 모든 것을 제공합니다. 지금이 바로 'Day One'입니다. 이 책을 통해 독자 여러분이 자신의 잠재력을 최대한 발휘하고, 원하는 목표를 달성하며, 더 나은 삶을 살아가는 데 필요한 모든 것을 얻을 수 있기를 바랍니다. 여러분의 성공을 기원합니다.

2. 독자가 얻을 수 있는 핵심 포인트

1. 동기부여의 기본 원칙 이해: 내적 동기와 외적 동기의 차이를 이해하고, 이를 통해 자신에게 가장 효과적인 동기부여 방식을 찾을 수 있습니다.

2. 목표 설정과 달성 방법: SMART 목표 설정법을 배우고, 이를 통해 명확하고 달성 가능한 목표를 설정하는 방법을 익힐 수 있습니다.

3. 실패와 좌절 극복 전략: 실패를 두려워하지 않고, 이를 학습과 성장의 기회로 삼는 방법을 배웁니다. 이는 회복 탄력성을 키우는 데 큰 도움이 될 것입니다.

4. 지속 가능한 습관 형성: 좋은 습관을 형성하고 유지하는 방법을 통해, 장기적으로 지속 가능한 성공을 이룰 수 있습니다.

5. 실생활 적용 가능성: 각 장마다 제공되는 실생활 사례와 활동을 통해, 배운 이론을 실제 생활에 적용하고 실천할 수 있습니다.

6. 자기 성찰과 성장: 스스로를 돌아보고 성장할 수 있는 기회를 제공하는 질문과 성찰을 통해, 자기 인식과 삶의 목적을 명확히 할 수 있습니다.

7. 유용한 도구와 자원 활용: 시간 관리, 목표 설정, 동기부여 유지에 도움이 되는 다양한 도구와 자원을 소개합니다. 이를 통해 더 효율적이고 효과적으로 목표를 달성할 수 있습니다.

8. 영감을 주는 인용문: 각 장마다 포함된 동기 부여 인용문은 독자에게 지속적인 영감을 제공하며, 힘든 순간에도 계속 나아갈 수 있도록 격려합니다.

이 책은 단순한 동기부여를 넘어, 지속 가능한 성장을 위한 실질적인 도구와 전략을 제공합니다. 독자 여러분이 이 책을 통해 새로운 시작을 할 수 있기를 바랍니다. 지금 아니면 언제일까요? 오늘부터 'Day One'을 시작하세요.

지금 이 순간을

'Day One'으로 삼아

꿈을 향해 나아가세요.

꾸준한 노력과 열정이 성공을 이끌 것입니다.

제 1 장 　　동기부여의
　　　　　　　　필요성

동기부여는 개인 성장과 성취감에 중요하며, 명확한 목표 설정이 필요합니다. 부정적인 환경과 개인 내적 요인은 동기부여에 영향을 미칩니다. 이를 관리하고 긍정적인 환경을 유지하면 동기부여를 강화할 수 있습니다.

1. 현대 사회에서의 동기부여

동기부여의 정의와 중요성

동기부여는 개인이 특정 목표를 달성하기 위해 에너지를 얻고 행동을 지속하는 과정을 의미합니다. 이는 인간 행동의 원동력으로서, 목표를 설정하고 이를 향해 나아가는 데 필수적인 요소입니다. 동기부여가 없다면, 개인은 쉽게 지치고 포기하게 되며, 이는 결국 목표 달성에 실패하게 됩니다. 따라서 동기부여는 성공적인 삶을 위해 반드시 필요한 요소입니다. 동기부여가 중요한 이유는 개인의 성과와 직결되기 때문입니다. 높은 동기부여는 생산성과 창의성을 증대시키며, 개인이 자신의 잠재력을 최대한 발휘할 수 있게 합니다.

동기부여는 내적 동기와 외적 동기로 구분됩니다. 내적 동기는 개인의 흥미, 즐거움, 자기 성취감에서 비롯되는 반면, 외적 동기는 보상, 인정을 받기 위한 외부 요인에 의해 촉발됩니다. 내적 동기는 개인의 깊은 만족감을 유발하며 장기적인 동기부여를 유지하는 데 효과적입니다. 반면, 외적 동기는 단기적인 목표 달성에 유리하지만, 그 효과는 지속되지 않을 수 있습니다. 따라서 내적 동기와 외적 동기의 균형을 맞추는 것이 중요합니다. 동기부여의 유형을 이해하고 이를 효과적으로 활용하면, 개인은 목표를 달성하기 위한 에너지를 지속적으로 유지할 수 있습니다.

동기부여의 중요성은 다양한 연구를 통해 입증되었습니다. 연구에 따르면, 높은 동기부여를 가진 사람들은 그렇지 않은 사람들보다 더 높은 성과를 내고, 삶의 만족도도 높습니다.

이는 동기부여가 개인의 전반적인 삶의 질을 향상시키는 데 중요한 역할을 한다는 것을 보여줍니다. 예를 들어, 직장에서의 동기부여는 직원의 생산성과 직무 만족도를 크게 향상시키며, 이는 조직 전체의 성과에도 긍정적인 영향을 미칩니다. 따라서 개인과 조직 모두에게 동기부여는 중요한 요소로 작용합니다.

또한, 동기부여는 개인의 심리적 안녕과도 깊은 연관이 있습니다. 동기부여가 높은 사람들은 스트레스 상황에서도 더 잘 대응하며, 좌절을 극복하는 능력이 뛰어납니다. 이는 동기부여가 단순히 성과를 향상시키는 도구가 아니라, 개인의 전반적인 정신 건강을 지키는 데 중요한 역할을 한다는 것을 의미합니다. 동기부여가 높은 사람들은 더 긍정적인 사고방식을 가지고 있으며, 이는 그들의 전반적인 삶의 만족도를 높이는 데 기여합니다.

마지막으로, 동기부여는 개인의 성취와 자기 실현에 필수적입니다. 동기부여는 개인이 자신의 목표를 설정하고 이를 달성하기 위해 필요한 에너지를 제공합니다. 이는 개인이 자신의 잠재력을 최대한 발휘하고, 궁극적으로 자기 실현을 이루는 데 중요한 역할을 합니다. 동기부여가 없는 삶은 목표도 없고, 성취도 없는 무의미한 삶이 될 수 있습니다. 따라서 동기부여는 개인의 삶을 풍요롭게 하고, 의미 있는 목표를 설정하고 이를 달성하는 데 필수적인 요소입니다.

현대 사회에서의 동기부여 필요성

현대 사회에서는 동기부여의 중요성이 더욱 부각되고 있습니다. 기술의 발전과 정보의 홍수 속에서 개인은 끊임없이 변화하는 환경에 적응하고, 경쟁에서 살아남기 위해 높은 동기부여가 필요합니다. 예를 들어, 직장에서의 성공을 위해서는 새로운 기술을 배우고, 빠르게 변화하는 시장 트렌드에 적응해야 합니다. 이는 개인이 지속적으로 자신을 발전시키고, 새로운 목표를 설정하며 이를 달성하기 위한 동기부여를 유지하는 것을 요구합니다. 따라서 현대 사회에서 동기부여는 개인의 성공과 직결된 중요한 요소입니다.

현대 사회의 스트레스와 압박도 동기부여의 필요성을 강조합니다. 많은 사람들이 일과 삶의 균형을 맞추기 위해 고군분투하며, 이는 높은 스트레스 수준으로 이어질 수 있습니다. 이러한 상황에서 동기부여는 개인이 스트레스를 관리하고, 목표를 향해 나아가는 데 필수적인 에너지를 제공합니다. 예를 들어, 동기부여가 높은 사람들은 어려운 상황에서도 긍정적인 태도로 문제를 해결하며, 이는 궁극적으로 더 나은 성과와 삶의 만족도를 가져옵니다. 따라서 현대 사회에서 동기부여는 스트레스 관리와 삶의 질 향상을 위해 필요합니다.

현대 사회에서 동기부여는 창의성과 혁신을 촉진하는 데 중요한 역할을 합니다. 빠르게 변화하는 환경에서는 창의적이고 혁신적인 아이디어가 필요하며, 이는 높은 동기부여에서 비롯됩니다. 예를 들어, 창의적인 아이디어를 제안하고 이를 실행에 옮기는 것은 높은 동기부여 없이는 어려운 일입니다. 따라서 동기부여는 개인의 창의성을 자극하고, 혁신을 이끌어내는 중요한 요소입니다. 이는 개인뿐만 아니라 조직의 성과와 성장에도 긍정적인 영향을 미칩니다.

또한, 현대 사회에서는 자기 계발과 학습의 중요성이 커지고 있습니다. 평생 학습이 강조되는 시대에서 개인은 지속적으로 새로운 지식을 습득하고, 자신의 능력을 향상시켜야 합니다. 이 과정에서 동기부여는 중요한 역할을 합니다. 예를 들어, 새로운 언어를 배우거나, 새로운 기술을 익히기 위해서는 지속적인 동기부여가 필요합니다. 이는 개인이 끊임없이 발전하고, 변화하는 환경에 적응하는 데 필수적인 요소입니다. 따라서 현대 사회에서 동기부여는 자기 계발과 학습을 위한 중요한 원동력입니다.

마지막으로, 현대 사회의 복잡성과 불확실성은 동기부여의 필요성을 더욱 강조합니다. 불확실한 미래와 복잡한 문제들을 해결하기 위해서는 높은 동기부여가 필요합니다. 이는 개인이 목표를 설정하고, 이를 달성하기 위한 계획을 세우며, 지속적으로 노력하는 데 중요한 역할을 합니다. 예를 들어, 불확실한 경제 상황에서 자신의 경력을 발전시키기 위해서는 높은 동기부여가 필요합니다. 따라서 현대 사회에서 동기부여는 복잡성과 불확실성을 극복하고, 목표를 달성하는 데 필수적인 요소입니다.

실생활에서의 동기부여 사례

실생활에서의 동기부여 사례는 동기부여의 중요성과 그 효과를 잘 보여줍니다. 예를 들어, 유명한 운동선수들은 높은 동기부여를 통해 자신의 한계를 극복하고, 최고의 자리에 오르게 됩니다. 마이클 조던은 그의 경력 동안 수많은 실패와 좌절을 겪었지만, 그의 끊임없는 동기부여 덕분에 농구 역사상 가장 위대한 선수 중 한 명이 되었습니다. 그의 이야기는 높은 동기부여가 어떻게 개인의 성취와 성공을 이끌어낼 수 있는지를 보여줍니다. 이는 다른 분야에서도 마찬가지입니다. 예를 들어, 창업가들이나 예술가들도 높은 동기부여를 통해 혁신적인 성과를 이루어냅니다.

또한, 동기부여는 일상 생활에서도 중요한 역할을 합니다. 예를 들어, 건강한 생활습관을 유지하기 위해서는 꾸준한 운동과 식단 관리가 필요합니다. 하지만 많은 사람들이 이를 지속하기 어려워합니다. 이때 동기부여는 중요한 역할을 합니다. 예를 들어, 자신이 설정한 목표를 달성했을 때 느끼는 성취감은 지속적인 동기부여를 제공하며, 이는 건강한 생활습관을 유지하는 데 큰 도움이 됩니다. 이러한 사례는 동기부여가 일상 생활에서도 중요한 영향을 미친다는 것을 보여줍니다.

직장에서도 동기부여는 중요한 역할을 합니다. 높은 동기부여를 가진 직원들은 더 높은 생산성과 창의성을 발휘하며, 이는 조직 전체의 성과에도 긍정적인 영향을 미칩니다. 예를 들어, 구글과 같은 기업은 직원들의 동기부여를 높이기 위해 다양한 프로그램을 운영합니다. 이러한 프로그램은 직원들이 자신의 업무에 몰입하고, 더 나은 성과를 내도록 돕습니다. 이는 동기부여가 조직의 성공에도 중요한 역할을 한다는 것을 보여줍니다.

동기부여는 또한 학습과 자기 계발에서도 중요한 역할을 합니다. 예를 들어, 학생들이 높은 동기부여를 가지고 공부에 임할 때, 더 나은 학습 성과를 얻을 수 있습니다. 이는 단순히 좋은 성적을 얻는 것뿐만 아니라, 학습에 대한 긍정적인 태도를 형성하는 데도 중요합니다. 예를 들어, 한 학생이 높은 동기부여를 가지고 특정 과목을 공부했을 때, 그 과목에 대한 흥미와 이해도가 높아지고, 이는 궁극적으로 더 나은 학습 성과로 이어집니다. 이러한 사례는 동기부여가 학습과 자기 계발에서도 중요한 역할을 한다는 것을 보여줍니다.

마지막으로, 동기부여는 사회적 관계에서도 중요한 역할을 합니다. 높은 동기부여를 가진 사람들은 긍정적인 사회적 관계를 형성하고 유지하는 데 더 능숙합니다. 예를 들어, 자원봉사 활동에 적극적으로 참여하는 사람들은 높은 동기부여를 가지고 있으며, 이는 그들이 사회에 긍정적인 영향을 미치고, 더 나은 사회적 관계를 형성하는 데 도움이 됩니다. 이러한 사례는 동기부여가 개인의 사회적 관계에도 중요한 영향을 미친다는 것을 보여줍니다.

2. 동기부여가 부족한 이유

목표 설정의 부재

동기부여가 부족한 주요 이유 중 하나는 명확한 목표 설정의 부재입니다. 목표가 명확하지 않으면, 사람들은 무엇을 위해 노력해야 하는지 알지 못하고, 이는 결국 동기부여의 결여로 이어집니다. 예를 들어, 직장에서 승진을 목표로 하는 사람이 명확한 계획 없이 막연히 열심히 일하는 것과, 구체적인 목표와 단계를 설정하여 체계적으로 노력하는 것에는 큰 차이가 있습니다. 목표가 명확하지 않으면, 사람들은 방향성을 잃고, 이는 동기부여를 유지하는 데 큰 어려움을 겪게 만듭니다. 명확한 목표 설정은 동기부여를 강화하고, 이를 통해 성취감을 얻는 데 중요한 역할을 합니다.

목표 설정의 부재는 단순히 동기부여의 결여뿐만 아니라, 개인의 성장과 발전을 저해하는 요인이 됩니다. 명확한 목표가 없으면, 사람들은 현재의 상태에 안주하기 쉽고, 새로운 도전을 피하게 됩니다. 이는 장기적으로 개인의 성장과 발전을 제한하게 됩니다.

예를 들어, 새로운 기술을 배우기 위해 명확한 목표와 계획을 세운 사람은 그렇지 않은 사람보다 더 빠르고 효과적으로 기술을 습득할 수 있습니다. 따라서 목표 설정의 부재는 개인의 성장과 발전을 저해하는 중요한 요인 중 하나입니다.

목표가 명확하지 않으면, 성취감을 느끼기 어려워지고, 이는 동기부여를 지속하는 데 큰 장애물이 됩니다. 성취감은 동기부여를 유지하고 강화하는 데 중요한 역할을 합니다. 명확한 목표가 없으면, 작은 성과조차 인식하기 어려워지고, 이는 성취감 부족으로 이어집니다. 예를 들어, 운동을 통해 건강을 개선하려는 사람이 구체적인 목표를 설정하지 않으면, 작은 변화나 성과를 인식하기 어려워지고, 이는 동기부여를 지속하는 데 큰 어려움을 초래합니다. 따라서 명확한 목표 설정은 성취감을 느끼고 동기부여를 지속하는 데 필수적인 요소입니다.

목표 설정의 부재는 또한 일관된 행동을 유지하는 데 큰 어려움을 초래합니다. 명확한 목표가 없으면, 사람들은 일관되게 행동하기 어려워지고, 이는 성과를 내는 데 큰 장애물이 됩니다. 예를 들어, 다이어트를 하려는 사람이 구체적인 목표와 계획 없이 막연히 음식을 줄이려 하면, 일관된 식습관을 유지하기 어려워지고, 이는 다이어트의 실패로 이어질 가능성이 높습니다. 따라서 명확한 목표 설정은 일관된 행동을 유지하고 성과를 내는 데 중요한 역할을 합니다.

마지막으로, 목표 설정의 부재는 자아효능감(self-efficacy)을 저하시킵니다. 자아효능감은 개인이 특정 과제를 성공적으로 수행할 수 있다는 신념을 의미합니다. 명확한 목표가 없으면, 자아효능감이 저하되고, 이는 자신감 결여로 이어집니다. 예를 들어, 학생이 명확한 학습 목표 없이 공부하면, 자신의 학습 능력에 대한 신뢰가 낮아지고, 이는 학습 성과에도 부정적인 영향을 미칩니다. 따라서 명확한 목표 설정은 자아효능감을 높이고, 자신감을 유지하는 데 중요한 역할을 합니다.

외부 환경의 영향

동기부여가 부족한 또 다른 이유는 외부 환경의 영향입니다. 사람들은 주변 환경에 큰 영향을 받으며, 이는 동기부여에도 중요한 역할을 합니다. 예를 들어, 직장에서의 부정적인 환경, 가족의 비난, 사회적 압박 등은 개인의 동기부여를 저하시키는 주요 요인입니다. 이러한 외부 환경은 개인의 행동과 태도에 직접적인 영향을 미치며, 이는 동기부여의 결여로 이어질 수 있습니다. 예를 들어, 직장에서 상사의 비난이나 동료들의 경쟁적인 분위기는 개인의 동기부여를 크게 저하시키고, 이는 업무 성과에도 부정적인 영향을 미칩니다.

외부 환경의 영향은 또한 개인의 자기 효능감과 자아 존중감에도 큰 영향을 미칩니다. 부정적인 환경은 개인의 자신감을 낮추고, 이는 동기부여를 유지하는 데 큰 장애물이 됩니다. 예를 들어, 지속적인 비난이나 부정적인 피드백은 개인의 자신감을 저하시키고, 이는 새로운 도전이나 목표를 설정하는 데 큰 장애물이 됩니다. 따라서 긍정적이고 지원적인 환경을 조성하는 것은 동기부여를 유지하고 강화하는 데 중요한 역할을 합니다.

또한, 외부 환경은 개인의 스트레스 수준과도 깊은 연관이 있습니다. 스트레스는 동기부여를 저하시키는 주요 요인 중 하나입니다. 예를 들어, 과도한 업무 부담, 경제적 어려움, 가정 내 갈등 등은 개인의 스트레스를 증가시키고, 이는 동기부여를 크게 저하시킵니다. 스트레스를 관리하고 줄이는 것은 동기부여를 유지하는 데 중요한 역할을 합니다. 예를 들어, 업무 환경을 개선하고, 스트레스를 줄이기 위한 다양한 방법을 적용하면, 개인의 동기부여를 유지하고 강화할 수 있습니다.

외부 환경의 영향은 또한 개인의 건강과 웰빙에도 큰 영향을 미칩니다. 건강한 생활습관을 유지하기 위해서는 긍정적인 환경이 필수적입니다. 예를 들어, 건강한 식단을 유지하고, 규칙적으로 운동하는 것은 긍정적인 환경에서 더 쉽게 이루어질 수 있습니다. 반면에, 부정적인 환경은 이러한 건강한 생활습관을 유지하는 데 큰 장애물이 됩니다. 따라서 건강한 환경을 조성하는 것은 개인의 동기부여와 웰빙을 유지하는 데 중요한 역할을 합니다.

마지막으로, 외부 환경은 개인의 사회적 관계에도 큰 영향을 미칩니다. 긍정적이고 지원적인 사회적 관계는 동기부여를 유지하고 강화하는 데 중요한 역할을 합니다. 예를 들어, 친구나 가족의 지지와 격려는 개인의 동기부여를 크게 향상시키고, 이는 목표 달성에 중요한 역할을 합니다. 반면에, 부정적이고 비판적인 사회적 관계는 개인의 동기부여를 저하시키고, 이는 성과와 웰빙에도 부정적인 영향을 미칩니다. 따라서 긍정적이고 지원적인 사회적 관계를 유지하는 것은 동기부여를 강화하는 데 중요한 요소입니다.

개인 내적 요인

동기부여가 부족한 또 다른 주요 이유는 개인 내적 요인입니다. 개인의 성격, 신념, 가치관 등은 동기부여에 중요한 영향을 미칩니다. 예를 들어, 자신에 대한 부정적인 신념이나 낮은 자아 존중감은 동기부여를 크게 저하시키는 요인입니다. 자신을 과소평가하거나, 자신의 능력에 대해 회의적인 태도를 가지면, 목표를 설정하고 이를 달성하기 위한 동기부여를 유지하기 어렵습니다. 따라서 긍정적인 자기 신념과 높은 자아 존중감을 유지하는 것은 동기부여를 강화하는 데 중요한 역할을 합니다.

내적 요인은 또한 개인의 목표 설정과 관련이 있습니다. 명확한 목표가 없거나 목표에 대한 열정이 부족하면, 동기부여를 유지하기 어렵습니다. 예를 들어, 명확한 목표 없이 막연히 성공을 꿈꾸는 사람은, 구체적인 목표를 설정하고 이를 달성하기 위한 계획을 세우는 사람보다 동기부여를 유지하기 어렵습니다. 따라서 명확한 목표 설정과 이에 대한 열정을 유지하는 것은 동기부여를 강화하는 데 중요한 요소입니다.

또한, 내적 요인은 개인의 스트레스 관리 능력과도 깊은 연관이 있습니다. 스트레스는 동기부여를 저하시키는 주요 요인 중 하나입니다. 예를 들어, 스트레스를 잘 관리하지 못하면, 이는 동기부여를 유지하는 데 큰 어려움을 초래합니다. 스트레스를 효과적으로 관리하고, 이를 긍정적인 에너지로 전환하는 능력은 동기부여를 강화하는 데 중요한 역할을 합니다. 따라서 스트레스 관리 능력을 향상시키는 것은 동기부여를 유지하는 데 중요한 요소입니다.

내적 요인은 또한 개인의 회복 탄력성과도 깊은 연관이 있습니다. 회복 탄력성은 개인이 실패나 좌절을 겪었을 때, 이를 극복하고 다시 일어설 수 있는 능력을 의미합니다. 높은 회복 탄력성을 가진 사람들은 실패나 좌절을 성장의 기회로 삼고, 이를 통해 더 강해질 수 있습니다. 예를 들어, 실패를 겪은 후에도 계속해서 도전하는 사람들은 높은 회복 탄력성을 가지고 있으며, 이는 동기부여를 유지하는 데 중요한 역할을 합니다. 따라서 회복 탄력성을 강화하는 것은 동기부여를 유지하는 데 중요한 요소입니다.

마지막으로, 내적 요인은 개인의 자기 효능감과도 깊은 연관이 있습니다. 자기 효능감은 개인이 특정 과제를 성공적으로 수행할 수 있다는 신념을 의미합니다. 높은 자기 효능감을 가진 사람들은 자신의 능력에 대한 신뢰가 높으며, 이는 동기부여를 강화하는 데 중요한 역할을 합니다. 예를 들어, 자신의 능력을 믿고 도전에 임하는 사람들은 높은 동기부여를 유지할 수 있으며, 이는 목표 달성에 중요한 역할을 합니다. 따라서 자기 효능감을 높이는 것은 동기부여를 유지하는 데 중요한 요소입니다.

피로와 스트레스의 영향

동기부여가 부족한 또 다른 이유는 피로와 스트레스의 영향입니다. 피로와 스트레스는 개인의 신체적, 정신적 에너지를 소모시키고, 이는 동기부여를 저하시키는 주요 요인입니다.

예를 들어, 과도한 업무나 학업으로 인한 피로는 개인이 목표를 향해 나아가는 데 필요한 에너지를 크게 감소시킵니다. 피로와 스트레스를 효과적으로 관리하지 않으면, 이는 동기부여를 유지하는 데 큰 어려움을 초래합니다. 따라서 피로와 스트레스를 관리하고 줄이는 것은 동기부여를 유지하는 데 중요한 요소입니다.

피로와 스트레스는 또한 개인의 신체적 건강에도 큰 영향을 미칩니다. 신체적 건강이 나빠지면, 이는 동기부여를 유지하는 데 큰 장애물이 됩니다. 예를 들어, 수면 부족이나 영양 불균형은 개인의 신체적 건강을 저하시켜, 에너지 수준을 낮추고, 이는 결국 동기부여의 결여로 이어집니다. 따라서 신체적 건강을 유지하고 증진하는 것은 동기부여를 강화하는 데 중요한 역할을 합니다. 규칙적인 운동, 충분한 수면, 균형 잡힌 식단은 동기부여를 유지하는 데 중요한 요소입니다.

스트레스는 개인의 정신적 건강에도 큰 영향을 미칩니다. 스트레스가 높으면, 이는 불안, 우울증 등 정신적 건강 문제를 초래할 수 있으며, 이는 동기부여를 크게 저하시킵니다. 예를 들어, 높은 스트레스를 받는 사람들은 집중력과 의욕이 저하되어, 목표를 달성하기 위한 노력을 지속하기 어렵습니다. 따라서 정신적 건강을 유지하고 증진하는 것은 동기부여를 강화하는 데 중요한 역할을 합니다. 명상, 요가, 심리 상담 등은 스트레스를 줄이고 정신적 건강을 증진하는 데 도움이 됩니다.

피로와 스트레스는 또한 개인의 사회적 관계에도 영향을 미칩니다. 높은 피로와 스트레스 수준은 사회적 관계를 악화시키고,

이는 동기부여를 유지하는 데 부정적인 영향을 미칩니다. 예를 들어, 피로와 스트레스로 인해 가족이나 친구와의 관계가 악화되면, 이는 개인의 정서적 지지 체계를 약화시키고, 이는 동기부여의 저하로 이어질 수 있습니다. 따라서 긍정적이고 건강한 사회적 관계를 유지하는 것은 동기부여를 강화하는 데 중요한 요소입니다.

마지막으로, 피로와 스트레스는 개인의 일과 삶의 균형에도 큰 영향을 미칩니다. 일과 삶의 균형이 깨지면, 이는 동기부여를 유지하는 데 큰 어려움을 초래합니다. 예를 들어, 과도한 업무로 인해 개인의 삶이 불균형해지면, 이는 동기부여를 유지하는 데 큰 장애물이 됩니다. 따라서 일과 삶의 균형을 유지하는 것은 동기부여를 강화하는 데 중요한 역할을 합니다. 시간 관리를 잘 하고, 휴식을 충분히 취하며, 개인의 삶에 의미 있는 활동을 포함시키는 것은 일과 삶의 균형을 유지하는 데 도움이 됩니다.

3. 동기부여의 심리적 메커니즘

내적 동기와 외적 동기의 차이

내적 동기와 외적 동기는 동기부여의 두 가지 주요 형태입니다. 내적 동기는 개인의 흥미, 즐거움, 자기 성취감에서 비롯됩니다. 이는 개인이 어떤 활동 자체를 좋아하거나, 그 활동을 통해 만족감을 느낄 때 나타납니다. 예를 들어, 어떤 사람이 음악을 좋아해서 악기를 연습하는 것은 내적 동기에서 비롯된 것입니다. 내적 동기는 장기적으로 지속되는 경향이 있으며, 개인의 깊은 만족감을 유발합니다. 이는 개인이 스스로 만족할 수 있는 활동을 통해 지속적인 성취감을 느끼도록 합니다.

반면, 외적 동기는 보상, 인정, 처벌 회피 등 외부 요인에서 비롯됩니다. 이는 개인이 어떤 외부의 결과를 얻기 위해 행동할 때 나타납니다. 예를 들어, 좋은 성적을 받기 위해 공부를 하는 것은 외적 동기에서 비롯된 것입니다. 외적 동기는 단기적인 목표 달성에 유리하지만, 그 효과는 지속되지 않을 수 있습니다. 보상이 사라지거나 외부의 압력이 줄어들면, 외적 동기는 급격히 감소할 수 있습니다. 따라서 외적 동기는 단기적인 성과를 높이는 데 유용하지만, 장기적으로는 내적 동기를 함께 강화하는 것이 중요합니다.

내적 동기와 외적 동기의 조화는 동기부여를 극대화하는 데 중요한 역할을 합니다. 내적 동기는 개인의 깊은 만족감을 유발하고 장기적인 성취를 가능하게 하지만, 외적 동기는 초기 동기부여를 제공하고 목표를 달성하기 위한 구체적인 방향을 제시합니다. 예를 들어, 직장에서 새로운 프로젝트를 시작할 때, 내적 동기는 프로젝트 자체에 대한 흥미와 열정을 제공하고, 외적 동기는 성공적인 결과에 대한 보상을 통해 초기 동기부여를 제공합니다. 이 두 가지 동기가 조화를 이루면, 개인은 지속적으로 동기부여를 유지하고 목표를 달성할 수 있습니다.

내적 동기와 외적 동기의 차이를 이해하는 것은 효과적인 동기부여 전략을 수립하는 데 중요합니다. 개인마다 동기부여의 요인은 다를 수 있기 때문에, 자신에게 가장 효과적인 동기부여 방식을 이해하고 활용하는 것이 필요합니다. 예를 들어, 어떤 사람은 내적 동기가 강하게 작용하는 반면, 다른 사람은 외적 동기에 더 크게 반응할 수 있습니다. 따라서 자신의 동기부여 스타일을 이해하고, 이에 맞는 전략을 수립하는 것이 중요합니다. 이를 통해 개인은 지속적으로 높은 동기부여를 유지할 수 있습니다.

마지막으로, 내적 동기와 외적 동기는 서로 상호보완적일 수 있습니다. 내적 동기는 외적 동기를 통해 강화될 수 있으며, 반대로 외적 동기는 내적 동기를 자극하는 데 사용될 수 있습니다. 예를 들어, 어떤 사람이 새로운 기술을 배우는 데 내적 동기가 있다면, 이를 위한 외적 보상(예: 인증서, 상장 등)을 제공함으로써 내적 동기를 더욱 강화할 수 있습니다. 이처럼 두 가지 동기를 효과적으로 조화시킴으로써, 개인은 목표를 달성하기 위한 강력한 동기부여를 얻을 수 있습니다.

자결성 이론 (Self-Determination Theory)

자결성 이론은 인간의 동기부여를 이해하는 데 중요한 이론 중 하나입니다. 이 이론은 사람들이 자율성, 유능감, 관계성이라는 세 가지 기본 심리적 욕구를 충족할 때 가장 높은 동기부여를 경험한다고 주장합니다. 자율성은 개인이 자신의 행동을 스스로 선택하고 통제할 수 있는 능력을 의미하며, 유능감은 개인이 자신의 능력을 발휘하여 목표를 달성할 수 있다는 신념을 의미합니다. 관계성은 다른 사람들과의 긍정적이고 의미 있는 관계를 맺고자 하는 욕구를 의미합니다.

자율성은 개인의 동기부여에 큰 영향을 미칩니다. 자율성이 높을 때, 개인은 자신의 행동에 대한 통제감을 느끼고, 이는 동기부여를 높이는 데 중요한 역할을 합니다. 예를 들어, 직장에서 자신이 맡은

지금 아니면 언제? : 계획하기만 했던 하루를 시작하는 하루로 만들어요.

업무를 스스로 계획하고 결정할 수 있는 권한이 주어질 때, 개인의 자율성이 높아지고 이는 동기부여를 강화합니다. 반면, 자율성이 낮으면, 개인은 외부의 압력에 의해 행동해야 한다는 느낌을 받게 되어 동기부여가 감소할 수 있습니다. 따라서 자율성을 존중하고 강화하는 환경을 조성하는 것이 중요합니다.

유능감은 개인이 자신의 능력을 발휘하고 목표를 달성할 수 있다는 신념을 의미합니다. 유능감이 높을 때, 개인은 자신의 성과에 대해 긍정적으로 평가하고, 이는 동기부여를 강화하는 데 중요한 역할을 합니다. 예를 들어, 학생이 시험에서 좋은 성적을 받았을 때, 자신의 유능감을 느끼고 이는 더 열심히 공부하는 동기부여로 이어질 수 있습니다. 반면, 유능감이 낮으면, 개인은 자신의 능력에 대해 회의감을 느끼고, 이는 동기부여를 저하시키는 요인이 될 수 있습니다. 따라서 유능감을 강화하는 피드백과 지원이 중요합니다.

관계성은 개인이 다른 사람들과의 긍정적이고 의미 있는 관계를 맺고자 하는 욕구를 의미합니다. 관계성이 높을 때, 개인은 사회적 지지와 소속감을 느끼며, 이는 동기부여를 강화하는 데 중요한 역할을 합니다. 예를 들어, 직장에서 동료들과의 긍정적인 관계는 개인이 더 열심히 일하고자 하는 동기부여로 작용할 수 있습니다. 반면, 관계성이 낮으면, 개인은 고립감을 느끼고 이는 동기부여를 저하시키는 요인이 될 수 있습니다. 따라서 긍정적이고 지지적인 사회적 환경을 조성하는 것이 중요합니다.

자결성 이론은 또한 내적 동기와 외적 동기의 관계를 이해하는 데 중요한 통찰을 제공합니다. 이 이론에 따르면, 외적 보상이 내적 동기를 훼손할 수 있는 경우가 있지만, 외적 보상이 개인의 자율성,

유능감, 관계성을 존중하고 강화하는 방식으로 제공될 때는 오히려 내적 동기를 촉진할 수 있습니다. 예를 들어, 직장에서의 보상이 단순히 성과에 대한 보상에 그치지 않고, 개인의 성장을 지원하고 격려하는 방식으로 제공될 때, 이는 내적 동기를 강화할 수 있습니다.

매슬로의 욕구 단계 이론 (Maslow's Hierarchy of Needs)

매슬로의 욕구 단계 이론은 인간의 욕구가 단계적으로 발전한다고 주장하는 이론입니다. 이 이론에 따르면, 인간의 욕구는 생리적 욕구, 안전 욕구, 사회적 욕구, 존경 욕구, 자아실현 욕구의 다섯 가지 단계로 구성됩니다. 각 단계의 욕구가 충족되면, 다음 단계의 욕구로 이동하게 되며, 이는 동기부여에 중요한 영향을 미칩니다. 예를 들어, 기본적인 생리적 욕구가 충족되지 않으면, 사람들은 안전 욕구나 사회적 욕구를 추구하기 어렵습니다.

생리적 욕구는 인간의 가장 기본적인 욕구로, 음식, 물, 수면 등 생존에 필수적인 요소들로 구성됩니다. 생리적 욕구가 충족되지 않으면, 사람들은 다른 욕구를 추구하기 어려워집니다. 예를 들어, 배고프거나 피곤한 상태에서는 안전이나 사회적 관계에 대한 욕구를 느끼기 어렵습니다. 따라서 생리적 욕구를 충족시키는 것은 모든 다른 욕구의 기반이 되며, 이는 동기부여의 가장 기본적인 요소입니다.

안전 욕구는 신체적, 정서적 안전을 포함합니다. 사람들은 자신의 신체적 안전과 정서적 안정을 추구하며, 이는 동기부여에 중요한 역할을 합니다. 예를 들어, 안정적인 직장이나 안전한 생활 환경은 사람들의 동기부여를 강화하는 요소가 됩니다. 반면, 안전이

위협받는 상황에서는 다른 욕구를 추구하기 어렵습니다. 따라서 안전 욕구를 충족시키는 것은 사람들의 동기부여를 유지하고 강화하는 데 중요합니다.

사회적 욕구는 사람들과의 관계, 소속감, 애정 등을 포함합니다. 사람들은 다른 사람들과 긍정적이고 의미 있는 관계를 맺고자 하며, 이는 동기부여에 중요한 영향을 미칩니다. 예를 들어, 가족, 친구, 동료들과의 긍정적인 관계는 개인의 사회적 욕구를 충족시키고, 이는 동기부여를 강화하는 데 중요한 역할을 합니다. 반면, 사회적 고립이나 소외감은 동기부여를 저하시키는 요인이 될 수 있습니다.

존경 욕구는 개인이 자신과 다른 사람들로부터 존중받고, 성취감을 느끼고, 자신에 대한 긍정적인 자아 이미지를 유지하려는 욕구를 포함합니다. 존경 욕구가 충족될 때, 사람들은 높은 자존감을 느끼고, 이는 동기부여를 강화하는 데 중요한 역할을 합니다. 예를 들어, 직장에서의 인정과 칭찬은 개인의 존경 욕구를 충족시키고, 이는 더 높은 성과를 내기 위한 동기부여로 이어질 수 있습니다. 반면, 존경 욕구가 충족되지 않으면, 이는 자존감 저하와 동기부여 결여로 이어질 수 있습니다.

마지막으로, 자아실현 욕구는 개인이 자신의 잠재력을 최대한 발휘하고, 자기 자신을 완전히 이해하며, 자신의 삶에서 의미와 목적을 찾으려는 욕구를 포함합니다. 자아실현 욕구가 충족될 때, 사람들은 자신의 삶에 대한 깊은 만족감을 느끼고, 이는 동기부여의 최고 수준을 나타냅니다. 예를 들어, 자신의 꿈을 추구하고, 자신의 능력을 최대한 발휘하는 것은 자아실현 욕구를 충족시키는 중요한 요소입니다. 이는 개인의 삶에 깊은 만족감을 주고, 지속적인 동기부여를 유지하는 데 중요한 역할을 합니다.

동기부여 전략 수립

효과적인 동기부여 전략을 수립하기 위해서는 개인의 내적 동기와 외적 동기를 이해하고, 이를 기반으로 전략을 설계하는 것이 중요합니다. 내적 동기와 외적 동기의 차이를 이해함으로써, 개인은 자신에게 가장 효과적인 동기부여 방식을 찾을 수 있습니다. 예를 들어, 내적 동기가 강한 사람은 자신의 흥미와 열정을 기반으로 목표를 설정하고, 외적 동기가 강한 사람은 보상과 인정을 통해 동기부여를 강화할 수 있습니다. 이러한 이해를 바탕으로, 개인은 자신에게 맞는 동기부여 전략을 수립할 수 있습니다.

동기부여 전략 수립에서 중요한 요소는 명확한 목표 설정입니다. 명확한 목표는 개인이 무엇을 위해 노력해야 하는지를 분명히 하며, 이는 동기부여를 강화하는 데 중요한 역할을 합니다. 예를 들어, SMART 목표 설정법을 통해 명확하고 달성 가능한 목표를 설정하면, 개인은 더 높은 동기부여를 유지할 수 있습니다. SMART 목표는 구체적(Specific), 측정 가능(Measurable), 달성 가능(Achievable), 현실적(Realistic), 시간 제한(Time-bound)을 포함한 목표 설정 방법입니다. 이러한 목표 설정은 개인이 구체적인 계획을 세우고 이를 달성하기 위한 동기부여를 제공하는 데 도움이 됩니다.

또한, 피드백과 자기 평가도 동기부여 전략의 중요한 요소입니다.

지속적인 피드백과 자기 평가는 개인이 자신의 성과를 평가하고, 필요한 개선점을 찾는 데 도움을 줍니다. 이는 개인이 자신의 목표를 지속적으로 달성할 수 있도록 동기부여를 강화하는 데 중요한 역할을 합니다. 예를 들어, 주기적인 성과 평가와 피드백을 통해 개인은 자신의 성장을 확인하고, 더 높은 목표를 설정할 수 있습니다. 이는 지속적인 동기부여를 유지하는 데 중요한 요소입니다.

동기부여 전략 수립에서 또 다른 중요한 요소는 보상 시스템입니다. 적절한 보상 시스템은 개인의 외적 동기를 강화하고, 이를 통해 목표 달성을 촉진할 수 있습니다. 예를 들어, 성과에 따른 금전적 보상이나 인정과 칭찬은 개인의 외적 동기를 강화하는 데 효과적입니다. 보상 시스템은 개인이 목표를 달성하기 위해 필요한 노력을 지속적으로 유지할 수 있도록 돕습니다. 따라서 효과적인 보상 시스템을 설계하는 것은 동기부여 전략 수립에서 중요한 역할을 합니다.

마지막으로, 긍정적인 환경 조성도 동기부여 전략 수립에서 중요한 요소입니다. 긍정적이고 지원적인 환경은 개인이 높은 동기부여를 유지하는 데 도움을 줍니다. 예를 들어, 직장에서의 긍정적인 문화와 팀워크, 가정에서의 지지와 격려는 개인의 동기부여를 강화하는 데 중요한 역할을 합니다. 긍정적인 환경은 개인이 자신의 목표를 달성하기 위한 동기부여를 지속적으로 유지할 수 있도록 돕습니다. 따라서 긍정적인 환경을 조성하는 것은 동기부여 전략 수립에서 중요한 요소입니다.

지금 이 순간을

'Day One'으로 삼아

꿈을 향해 나아가세요.

꾸준한 노력과 열정이 성공을 이끌 것입니다.

제 2 장　　목표 설정과 성취

목표 설정과 달성은 성공의 핵심입니다. 목표를 세분화하고, 계획을 세우며, 자기 평가와 피드백으로 목표를 이룰 수 있습니다. 또한, 지원 시스템 활용과 긍정적인 태도, 인내심이 중요하며, 장애물을 극복하는 방법을 알면 성공 확률이 높아집니다. 성공 사례는 동기부여와 영감을 줍니다.

1. 목표 설정의 중요성

목표 설정의 필요성

목표 설정은 개인의 성취와 성공을 위한 필수적인 과정입니다. 목표가 명확하지 않으면, 사람들은 방향성을 잃고 어떤 행동을 취해야 할지 모호해집니다. 이는 결국 동기부여의 결여와 성과 저하로 이어질 수 있습니다. 명확한 목표는 개인이 집중할 수 있는 구체적인 방향을 제공하며, 이를 통해 행동의 일관성을 유지할 수 있습니다. 예를 들어, 직장에서 승진을 목표로 하는 사람은 그 목표를 달성하기 위해 필요한 기술을 배우고, 자신의 성과를 지속적으로 개선하려는 노력을 기울이게 됩니다. 따라서 목표 설정은 개인의 성취와 성공을 위한 첫걸음입니다.

목표 설정은 또한 개인의 성취감을 높이는 데 중요한 역할을 합니다. 명확한 목표가 있을 때, 사람들은 작은 성과라도 인식하고 이를 통해 성취감을 느낄 수 있습니다. 이는 동기부여를 지속하는 데 필수적인 요소입니다. 예를 들어, 체중 감량을 목표로 하는 사람이 매주 작은 목표를 설정하고 이를 달성하면, 그 과정에서 성취감을 느끼게 됩니다. 이러한 작은 성취들이 모여 결국 큰 목표를 달성하게 되는 것입니다. 따라서 목표 설정은 개인이 성취감을 느끼고 지속적으로 동기부여를 유지하는 데 중요한 역할을 합니다.

목표 설정은 또한 시간 관리를 효율적으로 할 수 있도록 돕습니다. 명확한 목표가 있으면, 사람들은 그 목표를 달성하기 위해 필요한 시간을 계획하고, 우선순위를 정할 수 있습니다. 이는 효율적인 시간 관리와 직결됩니다. 예를 들어, 학생이 학업 목표를 설정하면, 그 목표를 달성하기 위해 학습 시간을 계획하고, 중요한 과목에 더 많은 시간을 할애하게 됩니다. 이러한 계획적인 시간 관리는 목표 달성에 중요한 역할을 합니다. 따라서 목표 설정은 효율적인 시간 관리를 돕는 중요한 도구입니다.

목표 설정은 또한 스트레스 관리에도 중요한 역할을 합니다. 명확한 목표가 있으면, 사람들은 불필요한 걱정이나 스트레스 없이 목표 달성에 집중할 수 있습니다. 이는 정신적인 안정감을 주고, 스트레스를 줄이는 데 도움이 됩니다. 예를 들어, 직장에서의 프로젝트 목표가 명확하게 설정되어 있으면, 팀원들은 그 목표를 달성하기 위해 협력하고, 불필요한 스트레스를 줄일 수 있습니다. 따라서 목표 설정은 스트레스 관리에도 중요한 역할을 합니다.

마지막으로, 목표 설정은 개인의 성장과 발전을 촉진합니다. 명확한 목표는 개인이 새로운 도전과 기회를 찾고, 이를 통해 성장할 수 있는 동기를 제공합니다. 예를 들어, 새로운 기술을 배우는 것을 목표로 설정한 사람은 그 과정을 통해 자신의 역량을 확장하고, 새로운 기회를 찾을 수 있습니다. 이러한 성장과 발전은 개인의 자신감과 자존감을 높이는 데 중요한 역할을 합니다. 따라서 목표 설정은 개인의 성장과 발전을 촉진하는 중요한 요소입니다.

SMART 목표 설정법

SMART 목표 설정법은 명확하고 달성 가능한 목표를 설정하는 데 도움이 되는 도구입니다. SMART는 구체적인(Specific), 측정 가능한(Measurable), 달성 가능한(Achievable), 관련성 있는(Relevant), 시간 제한이 있는(Time-bound)이라는 다섯 가지 요소로 구성됩니다. 이 방법을 사용하면 목표가 명확해지고, 달성하기 위한 구체적인 계획을 세울 수 있습니다. 예를 들어, 체중 감량을 목표로 하는 사람이 "3개월 동안 5kg 감량"이라는 SMART 목표를 설정하면, 그 목표를 달성하기 위한 구체적인 계획을 세우고, 진행 상황을 측정할 수 있습니다.

구체적인(Specific) 요소는 목표가 명확하고 구체적이어야 한다는 것을 의미합니다. 모호한 목표는 달성하기 어렵고, 동기부여를 유지하는 데 어려움을 초래합니다. 예를 들어, "더 건강해지기"라는 목표는 너무 모호합니다. 대신 "매주 3회, 30분씩 운동하기"라는 목표는 구체적이고 명확합니다. 구체적인 목표는 무엇을 해야 할지 명확하게 제시하므로, 개인이 그 목표를 달성하기 위해 필요한 행동을 취할 수 있게 합니다.

측정 가능한(Measurable) 요소는 목표가 측정 가능해야 한다는 것을 의미합니다. 측정 가능성은 목표 달성의 진척 상황을 평가할 수 있게 하며, 이는 성취감을 느끼고 동기부여를 유지하는 데 중요한 역할을 합니다. 예를 들어, "3개월 동안 5kg 감량"이라는 목표는 측정 가능합니다. 체중계로 몸무게를 측정하여 목표 달성 여부를 평가할 수 있기 때문입니다. 측정 가능성은 목표 달성의 구체적인 기준을 제공하므로, 개인이 그 목표를 향해 얼마나 진척했는지를 명확하게 알 수 있습니다.

달성 가능한(Achievable) 요소는 목표가 현실적이고 달성 가능해야 한다는 것을 의미합니다. 너무 높거나 불가능한 목표는 동기부여를 저하시키고, 실패감을 느끼게 할 수 있습니다. 예를 들어, "한 달 안에 20kg 감량"이라는 목표는 비현실적이며 달성하기 어렵습니다. 대신 "3개월 동안 5kg 감량"이라는 목표는 달성 가능하며, 이를 통해 성취감을 느낄 수 있습니다. 달성 가능한 목표는 개인이 지속적으로 동기부여를 유지하고, 목표를 향해 노력할 수 있도록 돕습니다.

관련성 있는(Relevant) 요소는 목표가 개인의 가치나 장기적인 목표와 관련성이 있어야 한다는 것을 의미합니다. 관련성 없는 목표는 동기부여를 유지하는 데 어려움을 초래합니다. 예를 들어, 건강을 개선하고자 하는 사람이 체중 감량을 목표로 설정하는 것은 관련성이 있습니다. 그러나 직업과 관련 없는 목표를 설정하면, 그 목표를 달성하기 위한 동기부여를 유지하기 어렵습니다. 따라서 목표는 개인의 가치와 장기적인 목표와 관련성이 있어야 합니다.

시간 제한적인(Time-bound) 요소는 목표가 시간 제한이 있어야 한다는 것을 의미합니다. 시간 제한이 없으면, 목표를 달성하기 위한 긴급성이 없고, 이는 동기부여를 저하시키는 요인이 될 수 있습니다. 예를 들어, "언젠가 5kg 감량하기"라는 목표는 시간 제한이 없어서 긴급성을 느끼기 어렵습니다. 대신 "3개월 동안 5kg 감량"이라는 목표는 구체적인 시간 제한이 있어, 목표 달성을 위한 긴급성을 부여합니다. 시간 제한은 목표 달성을 위한 구체적인 기한을 제공하므로, 개인이 목표를 달성하기 위해 지속적으로 노력할 수 있게 합니다.

목표 달성의 사례

목표 설정과 달성을 통해 성공한 사람들의 사례는 동기부여와 영감을 제공합니다. 예를 들어, 마라톤을 완주하는 목표를 설정하고 달성한 사람들의 이야기는 많은 사람들에게 영감을 줍니다. 이러한 사람들은 처음에는 작은 목표를 설정하고, 이를 단계적으로 달성하면서 결국 큰 목표를 이루었습니다. 예를 들어, 매일 조금씩 달리기를 연습하고, 점차 거리를 늘려가며 최종적으로 마라톤을 완주한 사례는 목표 설정의 중요성과 그 효과를 잘 보여줍니다.

또 다른 예로, 직장에서의 목표 설정과 달성 사례를 들 수 있습니다. 한 직원이 자신의 경력 발전을 위해 특정 기술을 배우는 목표를 설정하고, 이를 달성한 사례가 있습니다. 이 직원은 SMART 목표 설정법을 사용하여 구체적이고 측정 가능하며 달성 가능한 목표를 세웠습니다. 예를 들어, "6개월 안에 새로운 프로그래밍 언어를 배워서 프로젝트에 적용하기"라는 목표를 설정하고, 매주 일정 시간을 할애하여 학습하고 실습했습니다. 이 목표를 달성한 후, 그는 회사 내에서 더 중요한 역할을 맡게 되었고, 이는 그의 경력 발전에 큰 도움이 되었습니다.

목표 설정과 달성의 또 다른 성공 사례로는 체중 감량을 목표로 한 사람들의 이야기를 들 수 있습니다. 이들은 SMART 목표 설정법을 사용하여 구체적이고 달성 가능한 목표를 설정하고, 이를 체계적으로 달성했습니다. 예를 들어, "6개월 동안 매주 3회 운동하고, 하루 1500칼로리 이하로 식사하기"라는 목표를 설정한 사람이 체중 감량에 성공한 사례가 있습니다. 이들은 목표를 달성하기 위해 지속적으로 노력하고, 성과를 측정하면서 동기부여를 유지했습니다. 이러한 사례는 목표 설정과 달성의 중요성을 보여줍니다.

창업을 목표로 한 사람들의 사례도 목표 설정의 중요성을 보여줍니다. 한 창업자가 자신의 사업 아이디어를 구체화하고, 이를 실현하기 위한 목표를 설정한 사례가 있습니다. 그는 SMART 목표 설정법을 사용하여, "1년 안에 사업 계획서 작성, 투자 유치, 제품 개발 완료"라는 구체적인 목표를 설정했습니다. 이를 달성하기 위해 그는 단계적으로 목표를 세분화하고, 각 단계에서 필요한 자원을 확보하며 계획적으로 진행했습니다. 결국 그는 성공적으로 창업을 이뤄내었고, 이는 목표 설정의 중요성을 잘 보여줍니다.

마지막으로, 학업에서의 목표 설정과 달성 사례를 들 수 있습니다. 한 학생이 대학 입학을 목표로 설정하고, 이를 달성하기 위한 구체적인 계획을 세운 사례가 있습니다. 이 학생은 SMART 목표 설정법을 사용하여, "1년 안에 SAT 점수를 1500점 이상 올리기"라는 목표를 설정했습니다. 이를 위해 그는 매일 일정 시간을 할애하여 공부하고, 주기적으로 모의고사를 치르며 성과를 측정했습니다. 이 학생은 결국 목표를 달성하여 원하는 대학에 입학하게 되었고, 이는 목표 설정의 중요성을 입증하는 사례입니다.

2. 장기적 목표와 단기적 목표

장기적 목표 설정의 중요성

장기적 목표는 개인이 인생에서 이루고자 하는 궁극적인 목표를 설정하는 과정입니다. 이는 개인의 비전과 방향성을 제시하며, 장기적인 계획을 세우는 데 필수적인 요소입니다. 장기적 목표는 개인이 무엇을 위해 노력하는지를 명확하게 하고, 큰 그림을 보게 함으로써 작은 어려움이나 좌절에도 쉽게 흔들리지 않도록 돕습니다. 예를 들어, 의사가 되고자 하는 학생은 그 목표를 달성하기 위해 필요한 학업 성취와 경험을 쌓기 위해 노력합니다. 이러한 장기적 목표는 개인의 모든 행동과 결정을 지배하며, 지속적인 동기부여를 제공합니다.

는 또한 개인의 성장과 발전을 촉진합니다. 장기적 목표를 설정하면, 개인은 자신의 능력과 잠재력을 최대한 발휘하고, 새로운 도전과 기회를 찾게 됩니다. 예를 들어, 자신의 회사를 창업하는 것을 목표로 설정한 사람은 그 목표를 달성하기 위해 다양한 기술과 지식을 습득하며, 네트워크를 구축하고, 사업 계획을 세우는 등의 다양한 활동을 하게 됩니다. 이러한 과정에서 개인은 지속적으로 성장하고 발전하게 됩니다. 따라서 장기적 목표 설정은 개인의 성장과 발전을 촉진하는 중요한 요소입니다.

또한, 장기적 목표는 개인의 삶에 의미와 목적을 부여합니다. 명확한 장기적 목표가 있으면, 개인은 자신의 삶에 대한 명확한 비전과 목적을 가지게 됩니다. 이는 삶의 만족도와 행복감을 높이는 데 중요한 역할을 합니다. 예를 들어, 사회에 긍정적인 영향을 미치는 일을 목표로 설정한 사람은 그 목표를 달성하기 위해 필요한 행동을 취하며, 이를 통해 자신의 삶에 대한 만족감과 의미를 느끼게 됩니다. 따라서 장기적 목표는 개인의 삶에 의미와 목적을 부여하는 중요한 요소입니다.

장기적 목표는 또한 시간 관리와 우선순위 설정에 도움을 줍니다. 장기적 목표가 명확하면, 개인은 그 목표를 달성하기 위해 필요한 단기적 목표와 계획을 세울 수 있습니다. 이는 효율적인 시간 관리와 우선순위 설정에 도움을 줍니다. 예를 들어, 10년 안에 전문직 자격증을 취득하는 것을 목표로 설정한 사람은 그 목표를 달성하기 위해 매년 필요한 학습 계획과 단기 목표를 설정하게 됩니다. 이러한 계획적인 시간 관리와 우선순위 설정은 장기적 목표 달성에 중요한 역할을 합니다.

마지막으로, 장기적 목표는 개인의 회복 탄력성을 강화합니다. 장기적 목표가 있으면, 개인은 일시적인 실패나 좌절에도 쉽게 포기하지 않고, 지속적으로 노력하게 됩니다. 이는 회복 탄력성을 강화하는 데 중요한 역할을 합니다. 예를 들어, 장기적인 목표를 가지고 있는 운동선수는 부상이나 실패에도 불구하고 그 목표를 달성하기 위해 계속해서 훈련하고 노력하게 됩니다. 이러한 회복 탄력성은 장기적 목표를 달성하는 데 중요한 요소입니다.

단기적 목표로 장기적 목표 달성하기

단기적 목표는 장기적 목표를 달성하기 위한 중간 단계로 설정됩니다. 이는 장기적 목표를 보다 구체적이고 실현 가능한 단계로 나누어, 점진적으로 달성하는 데 도움을 줍니다. 단기적 목표는 작은 성공을 통해 성취감을 느끼게 하고, 이를 통해 지속적인 동기부여를 제공합니다. 예를 들어, 5년 안에 석사 학위를 취득하는 것을 목표로 설정한 학생은 매 학기마다 성적 목표와 연구 과제를 설정하여 점진적으로 목표를 달성할 수 있습니다. 이러한 단기적 목표는 장기적 목표를 보다 쉽게 달성할 수 있도록 돕습니다.

단기적 목표는 장기적 목표를 보다 구체적이고 현실적으로 만듭니다. 장기적 목표는 때로는 너무 멀게 느껴져 동기부여를 유지하기 어려울 수 있습니다. 그러나 단기적 목표를 설정하면, 개인은 장기적 목표를 보다 구체적이고 현실적으로 느낄 수 있게 됩니다. 예를 들어, 마라톤 완주를 목표로 설정한 사람이 매주 일정 거리를 달리는 목표를 설정하면, 그 목표를 달성함으로써 장기적 목표를 보다 현실적으로 느끼게 됩니다. 이러한 구체적인 목표는 동기부여를 지속하는 데 중요한 역할을 합니다.

단기적 목표는 또한 장기적 목표를 달성하기 위한 계획적인 접근을 가능하게 합니다. 장기적 목표를 달성하기 위해서는 체계적인 계획과 단계적인 접근이 필요합니다. 단기적 목표는 이러한 체계적인 계획의 중요한 부분을 구성합니다. 예를 들어, 5년 안에 사업을 성공적으로 운영하는 것을 목표로 설정한 창업자는 매년 필요한 단기 목표를 설정하고, 이를 통해 단계적으로 목표를 달성할 수 있습니다. 이러한 계획적인 접근은 장기적 목표 달성에 중요한 역할을 합니다.

단기적 목표는 성취감을 통해 지속적인 동기부여를 제공합니다. 작은 목표를 설정하고 이를 달성하면, 개인은 성취감을 느끼게 됩니다. 이러한 성취감은 지속적인 동기부여를 제공하며, 더 큰 목표를 향해 나아가는 데 중요한 역할을 합니다. 예를 들어, 체중 감량을 목표로 설정한 사람이 매달 작은 목표를 달성하면, 그 과정에서 성취감을 느끼고, 이는 지속적인 동기부여로 이어집니다. 이러한 성취감은 장기적 목표를 달성하는 데 중요한 요소입니다.

마지막으로, 단기적 목표는 개인의 발전을 추적하고 평가하는 데 중요한 역할을 합니다. 단기적 목표를 설정하고 이를 달성하는 과정에서 개인은 자신의 발전 상황을 평가하고 필요한 조정을 할 수 있습니다. 예를 들어, 새로운 기술을 배우는 것을 목표로 설정한 사람이 매달 학습 목표를 설정하고 이를 평가하면, 그 과정에서 자신의 발전 상황을 명확히 파악할 수 있습니다. 이러한 평가 과정은 장기적 목표를 달성하는 데 중요한 역할을 합니다.

목표 설정의 사례

목표 설정의 구체적인 사례는 동기부여와 영감을 제공합니다. 예를 들어, 한 사업가가 자신의 회사를 세계적인 기업으로 성장시키기 위해 목표를 설정하고 달성한 사례가 있습니다. 이 사업가는 "10년 안에 세계적인 기업으로 성장하기"라는 장기적 목표를 설정하고, 이를 달성하기 위해 매년 필요한 단기 목표를 설정했습니다. 첫해에는 제품 개발과 시장 진입을 목표로 삼고, 다음 해에는 마케팅과 판매 전략을 강화하는 등 단계별로 목표를 설정하고 달성했습니다. 이러한 체계적인 목표 설정과 달성 과정은 그가 궁극적으로 성공적인 기업을 운영하는 데 중요한 역할을 했습니다.

또 다른 예로, 한 학생이 학업 성취를 위해 목표를 설정하고 달성한 사례가 있습니다. 이 학생은 "5년 안에 대학을 졸업하고 석사 학위를 취득하기"라는 장기적 목표를 설정했습니다. 이를 달성하기 위해 매 학기마다 성적 목표와 학습 계획을 세웠습니다. 예를 들어, 첫 학기에는 기본 과목에서 높은 성적을 받는 것을 목표로 삼고, 이를 위해 매일 일정 시간을 공부하는 계획을 세웠습니다. 이러한 단기 목표를 지속적으로 달성한 결과, 그는 성공적으로 석사 학위를 취득하게 되었습니다. 이 사례는 목표 설정의 중요성과 그 효과를 잘 보여줍니다.

건강 목표를 설정하고 달성한 사람들의 이야기도 목표 설정의 중요성을 보여줍니다. 예를 들어, 한 사람이 "2년 안에 마라톤을 완주하기"라는 장기적 목표를 설정하고, 이를 달성하기 위해 매주 달리기 연습 목표를 세웠습니다. 첫 달에는 매주 5km를 달리는 것을 목표로 삼고, 점차 거리를 늘려갔습니다. 이러한 단기 목표를 지속적으로 달성한 결과, 그는 결국 마라톤을 완주하게 되었습니다. 이 사례는 단기적 목표가 장기적 목표 달성에 어떻게 기여하는지를 보여줍니다.

직업 목표를 설정하고 달성한 사람들의 사례도 중요한 예시입니다. 한 직장인은 "5년 안에 관리직으로 승진하기"라는 장기적 목표를 설정했습니다. 이를 달성하기 위해 그는 매년 새로운 기술을 배우고, 관련 자격증을 취득하는 단기 목표를 세웠습니다. 예를 들어, 첫 해에는 프로젝트 관리 자격증을 취득하고, 다음 해에는 리더십 교육을 이수하는 등의 목표를 설정했습니다. 이러한 단기 목표를 지속적으로 달성한 결과, 그는 관리직으로 승진하게 되었습니다. 이 사례는 목표 설정의 체계적 접근이 어떻게 성과를 이끌어내는지를 잘 보여줍니다.

마지막으로, 창의적인 목표를 설정하고 달성한 사람들의 이야기도 목표 설정의 중요성을 강조합니다. 한 예술가는 "3년 안에 개인전을 개최하기"라는 장기적 목표를 설정했습니다. 이를 달성하기 위해 그는 매년 일정 수의 작품을 완성하고, 갤러리와의 협력을 목표로 삼았습니다. 첫 해에는 20개의 작품을 완성하고, 다음 해에는 갤러리와의 계약을 목표로 삼는 등의 단기 목표를 설정했습니다. 이러한 목표를 지속적으로 달성한 결과, 그는 성공적으로 개인전을 개최하게 되었습니다. 이 사례는 창의적인 분야에서도 목표 설정이 중요한 역할을 한다는 것을 보여줍니다.

3. 목표 성취 전략

효과적인 목표 달성 전략

효과적인 목표 달성 전략을 수립하는 것은 목표를 성공적으로 달성하기 위한 필수적인 과정입니다. 첫 번째로, 목표를 세분화하는 것이 중요합니다. 큰 목표를 작고 구체적인 단기 목표로 나누면, 이를 달성하기 위한 구체적인 행동 계획을 세울 수 있습니다. 예를 들어, 마라톤 완주를 목표로 하는 사람은 처음에는 매주 5km를 달리는 작은 목표를 설정하고, 점차 거리를 늘려가면서 궁극적인 목표를 달성할 수 있습니다. 이러한 세분화된 목표는 성취감을 느끼게 하며, 지속적인 동기부여를 제공합니다.

두 번째로, 목표 달성을 위한 구체적인 계획을 수립하는 것이 필요합니다. 목표를 달성하기 위해 어떤 행동을 언제, 어떻게 할 것인지를 명확히 계획하는 것이 중요합니다. 예를 들어, 체중 감량을 목표로 하는 사람은 주간 운동 계획과 식단 계획을 세워, 이를 일상 생활에 적용할 수 있습니다. 구체적인 계획은 목표 달성의 로드맵을 제공하며, 개인이 목표를 달성하기 위해 필요한 행동을 체계적으로 취할 수 있게 합니다.

　세 번째로, 목표 달성을 위한 지속적인 자기 평가와 피드백이 필요합니다. 목표를 설정하고, 이를 달성하는 과정에서 자신의 진행 상황을 평가하고, 필요한 경우 계획을 조정하는 것이 중요합니다. 예를 들어, 학업 목표를 설정한 학생은 주기적으로 자신의 학습 성과를 평가하고, 필요한 경우 학습 방법이나 계획을 조정할 수 있습니다. 지속적인 자기 평가와 피드백은 목표 달성의 효과를 극대화하며, 개인이 지속적으로 동기부여를 유지할 수 있게 합니다.

　네 번째로, 목표 달성을 위한 지원 시스템을 구축하는 것이 중요합니다. 이는 가족, 친구, 동료 등 주변 사람들의 지지와 격려를 포함합니다. 예를 들어, 금연을 목표로 하는 사람이 주변 사람들에게 자신의 목표를 알리고, 그들의 지지와 격려를 받으면, 목표를 달성하기 위한 동기부여가 강화됩니다. 또한, 목표 달성을 위한 전문가의 조언이나 멘토링도 큰 도움이 될 수 있습니다. 지원 시스템은 개인이 목표를 달성하는 데 필요한 심리적 지원과 자원을 제공하며, 이는 목표 달성에 중요한 역할을 합니다.

마지막으로, 긍정적인 태도와 인내심을 유지하는 것이 중요합니다. 목표 달성 과정에서 어려움이나 좌절을 겪을 수 있지만, 긍정적인 태도와 인내심을 유지하면 이러한 장애물을 극복할 수 있습니다. 예를 들어, 직장에서의 목표를 달성하기 위해 여러 번의 실패를 겪더라도, 긍정적인 태도로 계속해서 도전하는 사람은 결국 성공할 가능성이 높습니다. 긍정적인 태도와 인내심은 목표 달성의 중요한 요소이며, 이는 지속적인 노력과 결단력을 필요로 합니다.

장애물 극복 방법

목표 달성 과정에서의 장애물은 불가피하지만, 이를 극복하는 방법을 알고 있으면 성공 확률을 높일 수 있습니다. 첫 번째로, 장애물을 미리 예상하고 대비하는 것이 중요합니다. 목표를 설정할 때, 그 과정에서 발생할 수 있는 잠재적인 장애물을 예상하고, 이를 극복하기 위한 대책을 마련하는 것이 필요합니다. 예를 들어, 체중 감량을 목표로 하는 사람이 외식이나 파티에서의 유혹을 예상하고, 이를 극복하기 위한 전략을 세우는 것이 유용할 수 있습니다. 장애물을 미리 예상하고 대비하면, 실제로 장애물이 발생했을 때 더 효과적으로 대응할 수 있습니다.

두 번째로, 장애물이 발생했을 때 이를 긍정적인 기회로 전환하는 태도가 중요합니다. 장애물을 단순한 문제로 보기보다는, 성장과 학습의 기회로 보는 것이 필요합니다. 예를 들어, 프로젝트에서 실패를 경험한 경우, 이를 통해 무엇을 배울 수 있는지 고민하고, 다음에 더 나은 성과를 내기 위한 기회로 삼는 것이 중요합니다.

장애물을 긍정적인 기회로 전환하는 태도는 개인의 회복 탄력성을 강화하며, 목표 달성의 지속적인 동기부여를 제공합니다.

세 번째로, 문제 해결 능력을 향상시키는 것이 중요합니다. 목표 달성 과정에서 발생하는 다양한 문제를 효과적으로 해결할 수 있는 능력을 갖추는 것이 필요합니다. 예를 들어, 문제 해결 훈련을 받거나, 다양한 문제 해결 기법을 익히는 것이 도움이 될 수 있습니다. 문제 해결 능력은 장애물을 효과적으로 극복하는 데 중요한 역할을 하며, 이는 목표 달성의 중요한 요소입니다.

네 번째로, 지원 시스템을 활용하는 것이 필요합니다. 장애물을 극복하는 과정에서 가족, 친구, 동료 등 주변 사람들의 지지와 격려는 큰 도움이 됩니다. 예를 들어, 직장에서의 어려움을 겪는 사람이 동료나 상사에게 조언을 구하고, 그들의 지지를 받으면, 문제를 더 쉽게 해결할 수 있습니다. 또한, 전문가의 조언이나 멘토링도 장애물을 극복하는 데 중요한 역할을 할 수 있습니다. 지원 시스템은 장애물을 극복하는 데 필요한 심리적 지원과 자원을 제공하며, 이는 목표 달성에 중요한 역할을 합니다.

마지막으로, 긍정적인 태도와 인내심을 유지하는 것이 중요합니다. 목표 달성 과정에서의 장애물은 때로는 예상보다 큰 어려움으로 다가올 수 있지만, 긍정적인 태도와 인내심을 유지하면 이를 극복할 수 있습니다. 예를 들어, 학업에서의 어려움을 겪는 학생이 긍정적인 태도로 꾸준히 노력하고, 인내심을 가지고 공부를 지속하면, 결국 좋은 성과를 얻을 가능성이 높습니다. 긍정적인 태도와 인내심은 목표 달성 과정에서의 장애물을 극복하는 데 중요한 역할을 합니다.

성공적인 목표 성취 사례

성공적인 목표 성취 사례는 동기부여와 영감을 제공합니다. 첫 번째 사례로, 한 사업가가 자신의 회사를 세계적인 기업으로 성장시키기 위해 목표를 설정하고 달성한 이야기를 들 수 있습니다. 이 사업가는 "10년 안에 세계적인 기업으로 성장하기"라는 장기적 목표를 설정하고, 이를 달성하기 위해 매년 필요한 단기 목표를 설정했습니다. 첫해에는 제품 개발과 시장 진입을 목표로 삼고, 다음 해에는 마케팅과 판매 전략을 강화하는 등 단계별로 목표를 설정하고 달성했습니다. 이러한 체계적인 목표 설정과 달성 과정은 그가 궁극적으로 성공적인 기업을 운영하는 데 중요한 역할을 했습니다.

두 번째 사례로, 한 학생이 학업 성취를 위해 목표를 설정하고 달성한 이야기를 들 수 있습니다. 이 학생은 "5년 안에 대학을 졸업하고 석사 학위를 취득하기"라는 장기적 목표를 설정했습니다. 이를 달성하기 위해 매 학기마다 성적 목표와 학습 계획을 세웠습니다. 예를 들어, 첫 학기에는 기본 과목에서 높은 성적을 받는 것을 목표로 삼고, 이를 위해 매일 일정 시간을 공부하는 계획을 세웠습니다. 이러한 단기 목표를 지속적으로 달성한 결과, 그는 성공적으로 석사 학위를 취득하게 되었습니다. 이 사례는 목표 설정의 중요성과 그 효과를 잘 보여줍니다.

세 번째 사례로, 건강 목표를 설정하고 달성한 사람들의 이야기를 들 수 있습니다. 예를 들어, 한 사람이 "2년 안에 마라톤을 완주하기"라는 장기적 목표를 설정하고, 이를 달성하기 위해 매주 달리기 연습 목표를 세웠습니다. 첫 달에는 매주 5km를 달리는 것을 목표로 삼고, 점차 거리를 늘려갔습니다. 이러한 단기 목표를 지속적으로 달성한 결과, 그는 결국 마라톤을 완주하게 되었습니다. 이 사례는 단기적 목표가 장기적 목표 달성에 어떻게 기여하는지를 보여줍니다.

네 번째 사례로, 직업 목표를 설정하고 달성한 사람들의 이야기를 들 수 있습니다. 한 직장인은 "5년 안에 관리직으로 승진하기"라는 장기적 목표를 설정했습니다. 이를 달성하기 위해 그는 매년 새로운 기술을 배우고, 관련 자격증을 취득하는 단기 목표를 세웠습니다. 예를 들어, 첫 해에는 프로젝트 관리 자격증을 취득하고, 다음 해에는 리더십 교육을 이수하는 등의 목표를 설정했습니다. 이러한 단기 목표를 지속적으로 달성한 결과, 그는 관리직으로 승진하게 되었습니다. 이 사례는 목표 설정의 체계적 접근이 어떻게 성과를 이끌어내는지를 잘 보여줍니다.

마지막으로, 창의적인 목표를 설정하고 달성한 사람들의 이야기를 들 수 있습니다. 한 예술가는 "3년 안에 개인전을 개최하기"라는 장기적 목표를 설정했습니다. 이를 달성하기 위해 그는 매년 일정 수의 작품을 완성하고, 갤러리와의 협력을 목표로 삼았습니다. 첫 해에는 20개의 작품을 완성하고, 다음 해에는 갤러리와의 계약을 목표로 삼는 등의 단기 목표를 설정했습니다. 이러한 목표를 지속적으로 달성한 결과, 그는 성공적으로 개인전을 개최하게 되었습니다. 이 사례는 창의적인 분야에서도 목표 설정이 중요한 역할을 한다는 것을 보여줍니다.

제 3 장
One Day 와
Day One 의 차이

"지금 아니면 언제?" 주제로, 계획에서 실행으로의 전환 방법을
소개합니다. 체계적 계획, 작은 시작, 환경 정리, 보상 시스템
등을 통한 성공 사례와 "One Day"에서 "Day One"으로의
마인드셋 전환 전략을 제시합니다. 이들은 다양한 분야에 적용
가능하며, 즉각적인 행동을 통해 성공을 돕습니다.

1. 미루는 습관의 심리학

미루는 습관의 원인

　미루는 습관은 많은 사람들이 겪는 문제로, 이는 다양한 원인에 의해 발생할 수 있습니다. 첫 번째 원인은 과도한 스트레스와 불안입니다. 사람들은 종종 특정 작업이 너무 어렵거나 복잡하다고 느낄 때, 이를 피하기 위해 미루게 됩니다. 예를 들어, 중요한 프로젝트나 시험 준비를 해야 할 때, 그 작업의 압박감과 실패에 대한 두려움이 커지면, 사람들은 그 일을 시작하는 것을 미루게 됩니다. 이는 스트레스와 불안을 피하려는 자연스러운 반응이지만, 결국 작업의 압박감을 더 크게 느끼게 만들어 악순환을 초래할 수 있습니다.

　두 번째 원인은 완벽주의입니다. 완벽주의자들은 모든 일을 완벽하게 해내야 한다는 압박감을 느끼며, 이는 미루는 습관으로 이어질 수 있습니다. 이들은 자신이 설정한 높은 기준을 충족하지 못할 것이라는 두려움 때문에 작업을 시작하는 것을 미룹니다. 예를 들어, 완벽하게 작성된 보고서를 제출해야 한다고 생각하는 사람은 보고서 작성 자체를 미루게 되며, 이는 결국 기한을 놓치거나 질 낮은 결과물을 초래할 수 있습니다. 완벽주의는 미루는 습관의 중요한 원인 중 하나로 작용합니다.

　세 번째 원인은 동기 부족입니다. 사람들은 특정 작업에 대한 내적 동기나 흥미가 부족할 때, 그 일을 미루게 됩니다. 예를 들어, 자신의 직무와 관련이 없거나 흥미를 느끼지 못하는 과제를 받았을 때, 그 작업을 미루는 경향이 높아집니다. 동기가 부족하면, 작업을 시작하는 데 필요한 에너지를 얻기 어려우며, 이는 미루는 습관으로 이어집니다. 따라서 동기 부족은 미루는 습관의 주요 원인 중 하나입니다.

네 번째 원인은 시간 관리 능력의 부족입니다. 시간 관리를 효율적으로 하지 못하면, 사람들은 작업을 미루게 됩니다. 이는 작업의 우선순위를 정하지 않거나, 과도한 작업을 한꺼번에 처리하려고 할 때 발생할 수 있습니다. 예를 들어, 여러 가지 과제를 동시에 처리하려는 사람은 어느 작업부터 시작해야 할지 몰라 결국 모든 작업을 미루게 됩니다. 시간 관리 능력의 부족은 미루는 습관을 형성하는 중요한 원인 중 하나입니다.

마지막으로, 미루는 습관은 습관화된 행동 패턴에서 비롯될 수 있습니다. 어릴 때부터 반복적으로 미루는 행동을 해온 사람들은 성인이 되어서도 이러한 습관을 유지하게 됩니다. 이는 학습된 행동 패턴으로, 특정 상황에서 미루는 것이 자연스러운 반응이 됩니다. 예를 들어, 학창 시절에 숙제를 항상 미루던 학생은 성인이 되어도 중요한 일을 미루는 습관을 지속할 가능성이 높습니다. 습관화된 행동 패턴은 미루는 습관을 형성하는 주요 원인 중 하나입니다.

미루는 습관의 극복 방법

미루는 습관을 극복하기 위해서는 몇 가지 효과적인 전략을 활용할 수 있습니다. 첫 번째로, 작업을 작은 단위로 나누는 것이 중요합니다. 큰 작업이나 프로젝트는 처음 시작하기 어려울 수 있지만, 이를 작은 단위로 나누면 더 쉽게 접근할 수 있습니다. 예를 들어, 논문을 작성해야 할 때, 이를 주제 선정, 자료 조사, 초안 작성

등으로 나누면, 각 단계마다 성취감을 느끼고 작업을 진행하기가 수월해집니다. 작은 단위로 나누는 전략은 작업에 대한 부담감을 줄이고, 점진적으로 목표를 달성할 수 있게 합니다.

두 번째로, 시간 관리를 효율적으로 하는 것이 필요합니다. 구체적인 일정과 계획을 세워 시간을 관리하면, 작업을 미루지 않고 체계적으로 진행할 수 있습니다. 예를 들어, 하루 일과를 시간 단위로 나누어 할 일을 계획하고, 우선순위에 따라 중요한 작업부터 시작하는 것이 도움이 됩니다. 이는 작업의 흐름을 유지하고, 중요한 일을 놓치지 않도록 돕습니다. 시간 관리는 미루는 습관을 극복하는 중요한 요소입니다.

세 번째로, 동기부여를 높이는 방법을 찾는 것이 중요합니다. 내적 동기와 외적 동기를 활용하여 작업에 대한 흥미와 열정을 유지하면, 미루는 습관을 줄일 수 있습니다. 예를 들어, 자신이 좋아하는 음악을 들으면서 작업을 하거나, 작업을 완료했을 때 보상을 설정하는 것이 도움이 될 수 있습니다. 또한, 작업의 목적과 의미를 되새기며, 이를 통해 동기부여를 높이는 것도 효과적입니다. 동기부여는 작업을 지속하는 데 중요한 역할을 합니다.

네 번째로, 완벽주의를 극복하는 것이 필요합니다. 완벽주의는 미루는 습관의 주요 원인 중 하나로, 이를 극복하기 위해서는 작은 성취에 대한 만족감을 느끼고, 실패를 두려워하지 않는 태도를 가지는 것이 중요합니다. 예를 들어, 처음부터 완벽한 결과를 기대하지 말고, 초안을 작성한 후 점진적으로 개선해 나가는 접근법을 취하는 것이 좋습니다. 완벽주의를 극복하면, 작업을 시작하는 것이 더 쉬워지고, 미루는 습관을 줄일 수 있습니다.

마지막으로, 지원 시스템을 활용하는 것이 중요합니다. 가족, 친구, 동료 등 주변 사람들의 지지와 격려는 미루는 습관을 극복하는 데 큰 도움이 됩니다. 예를 들어, 자신의 목표와 계획을 주변 사람들에게 알리고, 그들의 지지와 피드백을 받으면, 작업에 대한 동기부여가 높아지고, 미루지 않고 작업을 진행할 수 있습니다. 또한, 전문가의 조언이나 멘토링도 중요한 역할을 할 수 있습니다. 지원 시스템은 미루는 습관을 극복하는 데 필요한 심리적 지원과 자원을 제공합니다.

실생활 사례

미루는 습관을 극복한 실생활 사례는 많은 사람들에게 동기부여와 영감을 줄 수 있습니다. 첫 번째 사례로, 한 학생이 학업에서 미루는 습관을 극복한 이야기를 들 수 있습니다. 이 학생은 항상 시험 공부를 미루다가 성적이 떨어지는 문제를 겪었습니다. 그러나 그는 작은 목표를 설정하고, 구체적인 공부 계획을 세우는 전략을 사용하기로 결심했습니다. 매일 일정 시간을 할애하여 공부하고, 주기적으로 자신의 진도를 평가하며 수정해 나갔습니다. 결국 그는 성적이 크게 향상되었고, 이는 미루는 습관을 극복한 성공적인 사례로 남았습니다.

두 번째 사례로, 한 직장인이 프로젝트 관리에서 미루는 습관을 극복한 이야기를 들 수 있습니다. 이 직장인은 항상 프로젝트를 미루다가 기한을 맞추지 못하는 문제가 있었습니다. 그는 시간을 효율적으로 관리하고, 프로젝트를 작은 단위로 나누어 단계적으로 진행하기로 결정했습니다. 또한, 팀원들과의 소통을 강화하고, 주기적인 회의를 통해 진행 상황을 공유하며 피드백을 받았습니다. 이를 통해 그는 프로젝트를 성공적으로 완료할 수 있었고, 이는 미루는 습관을 극복한 또 다른 성공적인 사례입니다.

세 번째 사례로, 한 작가가 책 집필에서 미루는 습관을 극복한 이야기를 들 수 있습니다. 이 작가는 항상 책을 쓰기 시작하려고 할 때마다 미루는 경향이 있었습니다. 그는 작은 목표를 설정하고, 매일 일정한 시간 동안 글을 쓰기로 결정했습니다. 또한, 글을 쓰는 환경을 개선하고, 자신에게 동기부여를 줄 수 있는 보상 시스템을 도입했습니다. 예를 들어, 일정 분량을 쓰면 좋아하는 간식을 먹거나, 산책을 하는 등의 보상을 통해 작업을 지속했습니다. 결국 그는 책을 성공적으로 완성하게 되었고, 이는 미루는 습관을 극복한 또 다른 성공적인 사례입니다.

네 번째 사례로, 한 운동선수가 훈련에서 미루는 습관을 극복한 이야기를 들 수 있습니다. 이 운동선수는 항상 훈련을 미루다가 경기 성적이 저조한 문제를 겪었습니다. 그는 훈련 일정을 구체적으로 계획하고, 매일 목표를 설정하여 훈련을 진행하기로 결정했습니다. 또한, 훈련 중간중간에 작은 목표를 달성할 때마다 성취감을 느끼도록 했습니다. 이를 통해 그는 꾸준히 훈련을 진행할 수 있었고, 경기 성적도 크게 향상되었습니다. 이 사례는 미루는 습관을 극복한 성공적인 예시로, 많은 사람들에게 영감을 줍니다.

마지막으로, 한 창업자가 사업 계획에서 미루는 습관을 극복한 이야기를 들 수 있습니다. 이 창업자는 항상 사업 아이디어를 실행에 옮기지 못하고 미루는 경향이 있었습니다. 그는 구체적인 목표와 일정을 설정하고, 매주 진행 상황을 평가하기로 결정했습니다. 또한, 멘토의 조언을 받으며, 필요한 자원을 확보하고, 팀원들과의 협력을 강화했습니다. 이를 통해 그는 사업 계획을 차근차근 진행할 수 있었고, 결국 성공적인 창업을 이루게 되었습니다. 이 사례는 미루는 습관을 극복한 또 다른 성공적인 예시로, 많은 사람들에게 동기부여와 영감을 제공합니다.

2. 즉각적인 행동의 중요성

즉각적인 행동이 중요한 이유

즉각적인 행동은 목표 달성과 성공을 위해 필수적인 요소입니다. 첫 번째 이유는 즉각적인 행동이 문제를 조기에 해결하고, 기회를 신속하게 포착하는 데 도움이 되기 때문입니다. 문제를 신속히 해결하면, 더 큰 문제가 발생하기 전에 조치를 취할 수 있으며, 기회를 신속하게 잡으면 경쟁에서 유리한 위치를 선점할 수 있습니다. 예를 들어, 새로운 기술이나 트렌드를 즉시 배우고 적용하는 기업은 경쟁사보다 앞서 나갈 수 있습니다. 즉각적인 행동은 기회를 잡고 문제를 해결하는 데 중요한 역할을 합니다.

두 번째 이유는 즉각적인 행동이 목표 달성의 동력을 제공합니다. 행동을 즉시 시작하면, 목표를 향해 나아가고 있다는 성취감을 느낄 수 있으며, 이는 동기부여를 유지하는 데 큰 도움이 됩니다.

예를 들어, 운동을 하기로 결심한 사람이 당장 운동을 시작하면, 운동 후의 상쾌함과 성취감을 느끼며 계속해서 운동을 지속할 동기부여를 얻게 됩니다. 즉각적인 행동은 목표 달성을 위한 지속적인 동기부여를 제공합니다.

세 번째 이유는 즉각적인 행동이 학습과 성장을 촉진하기 때문입니다. 즉각적인 행동을 통해 새로운 경험과 지식을 습득할 수 있으며, 이를 통해 개인의 역량이 향상됩니다. 예를 들어, 새로운 프로젝트를 즉시 시작하고 도전하면, 그 과정에서 많은 것을 배우고 성장할 수 있습니다. 이러한 학습과 성장은 개인의 능력을 강화하고, 더 큰 목표를 달성하는 데 필요한 기반을 제공합니다. 즉각적인 행동은 학습과 성장을 촉진하는 중요한 요소입니다.

네 번째 이유는 즉각적인 행동이 불안과 스트레스를 줄이는 데 도움이 되기 때문입니다. 미루는 습관은 종종 불안과 스트레스를 증가시키지만, 즉각적인 행동은 이러한 부정적인 감정을 줄이는 데 도움이 됩니다. 예를 들어, 중요한 일을 미루면 그에 따른 압박감과 불안이 커지지만, 즉시 행동을 시작하면 불안과 스트레스가 줄어들고, 더 평온한 상태에서 작업을 진행할 수 있습니다. 즉각적인 행동은 불안과 스트레스를 줄이는 데 중요한 역할을 합니다.

마지막으로, 즉각적인 행동은 자기 효능감과 자신감을 높이는 데 중요한 역할을 합니다. 즉각적인 행동을 통해 목표를 향해 나아가고, 작은 성취를 경험하면, 자신에 대한 신뢰와 자신감이 증가합니다. 예를 들어, 새로운 언어를 배우기로 결심한 사람이 매일 조금씩 공부하고, 그 과정에서 작은 성취를 경험하면, 자신감이 높아지고 더 큰 목표를 달성할 수 있는 동기부여를 얻게 됩니다. 즉각적인 행동은 자기 효능감과 자신감을 높이는 데 중요한 요소입니다.

즉각적인 행동을 촉진하는 방법

즉각적인 행동을 촉진하기 위해서는 몇 가지 효과적인 전략을 활용할 수 있습니다. 첫 번째로, 명확한 목표를 설정하는 것이 중요합니다. 목표가 명확하고 구체적일수록 즉각적인 행동을 촉진하는 데 도움이 됩니다. 예를 들어, "운동하기"라는 막연한 목표보다는 "매일 30분씩 조깅하기"라는 구체적인 목표가 더 효과적입니다. 명확한 목표는 행동을 시작하기 위한 구체적인 방향을 제시하며, 이는 즉각적인 행동을 촉진하는 데 중요한 역할을 합니다.

두 번째로, 행동 계획을 세우고 이를 시각적으로 가시화하는 것이 필요합니다. 구체적인 계획을 세우고, 이를 달력이나 플래너에 기록하면, 행동을 체계적으로 진행할 수 있습니다. 예를 들어, 매일 해야 할 일과 목표를 적어두고, 이를 체크리스트 형태로 관리하면, 행동을 미루지 않고 즉시 시작하는 데 도움이 됩니다. 시각적으로 가시화된 계획은 행동을 구체화하고, 이를 즉시 실행할 수 있도록 돕습니다.

세 번째로, 작은 단계부터 시작하는 것이 효과적입니다. 큰 목표나 과업은 시작하기 어려울 수 있지만, 이를 작은 단계로 나누면 즉시 시작할 수 있습니다. 예를 들어, 책을 한 권 쓰는 것이 목표라면, 매일 한 페이지씩 쓰는 작은 단계부터 시작할 수 있습니다. 이러한 작은 단계는 성취감을 느끼게 하고, 목표 달성을 위한 지속적인 동기부여를 제공합니다. 작은 단계부터 시작하는 전략은 즉각적인 행동을 촉진하는 데 중요한 역할을 합니다.

네 번째로, 환경을 정리하고, 방해 요소를 제거하는 것이 필요합니다. 작업을 방해하는 요소들을 제거하고, 집중할 수 있는 환경을 조성하면 즉각적인 행동을 촉진할 수 있습니다. 예를 들어, 공부를 시작하기 전에 책상 위를 정리하고, 휴대폰을 멀리 두면, 집중력을 높이고 즉각적인 행동을 촉진할 수 있습니다. 환경을 정리하고 방해 요소를 제거하는 것은 행동을 즉시 시작하는 데 중요한 역할을 합니다.

마지막으로, 즉각적인 행동을 보상하는 시스템을 구축하는 것이 효과적입니다. 작은 성취를 경험할 때마다 스스로를 보상하면, 행동을 지속할 동기부여가 강화됩니다. 예를 들어, 하루 일과를 모두 완료했을 때 자신에게 좋아하는 간식을 주거나, 휴식을 취하는 보상을 제공하는 것이 도움이 됩니다. 이러한 보상 시스템은 행동을 즉시 시작하고 지속하는 데 중요한 역할을 합니다.

성공 사례

즉각적인 행동을 통해 성공을 거둔 실생활 사례는 많은 사람들에게 영감을 줄 수 있습니다. 첫 번째 사례로, 한 스타트업 창업자가 아이디어를 즉시 실행에 옮긴 이야기를 들 수 있습니다. 이 창업자는 새로운 비즈니스 아이디어를 떠올리고, 이를 즉시 실행에 옮기기 위해 팀을 구성하고 시장 조사를 시작했습니다. 그의 빠른 행동 덕분에 경쟁사보다 먼저 시장에 진출할 수 있었고, 이는 큰 성공으로 이어졌습니다. 이 사례는 즉각적인 행동이 성공을 가져오는 중요한 요소임을 보여줍니다.

두 번째 사례로, 한 학생이 학업에서 즉각적인 행동을 통해 성취를 이룬 이야기를 들 수 있습니다. 이 학생은 시험 준비를 미루지 않고 즉시 공부를 시작하기로 결심했습니다. 그는 매일 일정 시간을 공부하고, 주기적으로 복습하며 학습 계획을 철저히 따랐습니다. 그 결과, 그는 높은 성적을 받을 수 있었고, 장학금을 받는 성과를 이루었습니다. 이 사례는 즉각적인 행동이 학업 성취에 어떻게 기여하는지를 잘 보여줍니다.

세 번째 사례로, 한 직장인이 직무에서 즉각적인 행동을 통해 성과를 낸 이야기를 들 수 있습니다. 이 직장인은 새로운 프로젝트를 맡게 되었을 때, 즉시 팀을 구성하고 계획을 수립하여 프로젝트를 시작했습니다. 그는 지체하지 않고 즉각적인 행동을 통해 프로젝트를 효율적으로 진행할 수 있었고, 결국 프로젝트를 성공적으로 완료하였습니다. 이 사례는 즉각적인 행동이 직무 성과에 중요한 역할을 한다는 것을 보여줍니다.

네 번째 사례로, 한 운동선수가 즉각적인 행동을 통해 목표를 달성한 이야기를 들 수 있습니다. 이 운동선수는 새로운 훈련 프로그램을 즉시 시작하기로 결심하고, 매일 꾸준히 훈련을 진행했습니다. 그는 지체하지 않고 훈련을 통해 점진적으로 실력을 향상시켰고, 결국 대회에서 우승하는 성과를 이뤘습니다. 이 사례는 즉각적인 행동이 스포츠 성과에 어떻게 기여하는지를 보여줍니다.

마지막으로, 한 예술가가 창작 활동에서 즉각적인 행동을 통해 성공을 거둔 이야기를 들 수 있습니다. 이 예술가는 새로운 작품을 구상하자마자 즉시 작업을 시작하였고, 꾸준히 창작 활동을 이어갔습니다. 그의 빠른 행동과 꾸준한 노력 덕분에, 그는 여러 차례 전시회를 성공적으로 개최할 수 있었습니다. 이 사례는 즉각적인 행동이 창작 활동과 예술적 성취에 중요한 역할을 한다는 것을 보여줍니다.

3. "One Day"에서 "Day One"으로 전환하기

마인드셋 전환 방법

"One Day"에서 "Day One"으로 전환하기 위해서는 먼저 마인드셋을 전환하는 것이 중요합니다. 첫 번째 방법은 자기 인식과 성찰을 통해 현재의 미루는 습관을 인식하는 것입니다. 자신이 어떤 상황에서 주로 미루는지, 그 원인이 무엇인지를 명확히 파악하는 것이 중요합니다. 예를 들어, 특정 과제를 미루는 이유가 불안감 때문인지, 아니면 자신감 부족 때문인지를 명확히 이해하면, 이를 극복하기 위한 구체적인 전략을 세울 수 있습니다. 자기 인식과 성찰은 마인드셋 전환의 첫 걸음입니다.

두 번째 방법은 긍정적인 사고방식을 강화하는 것입니다. 자신에 대한 긍정적인 믿음과 낙관적인 태도는 행동을 촉진하고, 목표 달성에 대한 자신감을 높여줍니다. 예를 들어, 실패를 두려워하기보다는 실패를 학습의 기회로 받아들이고, 도전하는 과정에서 얻는 성장을 중시하는 태도를 가지는 것이 중요합니다.

긍정적인 사고방식은 "One Day"에서 "Day One"으로 전환하는 데 중요한 역할을 합니다.

세 번째 방법은 구체적이고 현실적인 목표를 설정하는 것입니다. 목표가 구체적이고 현실적일수록 이를 달성하기 위한 행동을 즉시 시작할 가능성이 높아집니다. 예를 들어, "언젠가 운동을 시작해야지"라는 막연한 목표보다는 "매주 월요일, 수요일, 금요일에 30분씩 조깅하기"라는 구체적인 목표가 더 효과적입니다. 구체적이고 현실적인 목표 설정은 행동을 촉진하는 중요한 요소입니다.

네 번째 방법은 작은 성공 경험을 쌓는 것입니다. 작은 목표를 설정하고 이를 달성하면 성취감을 느끼고, 이는 더 큰 목표를 향한 동기부여로 이어집니다. 예를 들어, 하루에 한 가지 작은 목표를 설정하고 이를 달성하는 습관을 기르면, 점차 더 큰 목표를 달성하는 데 필요한 자신감과 동기부여를 얻게 됩니다. 작은 성공 경험은 "One Day"에서 "Day One"으로 전환하는 데 중요한 역할을 합니다.

마지막으로, 주변 환경을 긍정적으로 조성하는 것이 중요합니다. 자신을 둘러싼 환경이 긍정적이고 지지적일수록 행동을 즉시 시작하는 데 도움이 됩니다. 예를 들어, 가족이나 친구들의 지지와 격려를 받고, 목표를 공유하며 함께 이루는 환경을 조성하는 것이 중요합니다. 또한, 작업 공간을 정리하고, 방해 요소를 제거하는 것도 효과적입니다. 긍정적인 환경 조성은 마인드셋 전환을 촉진하는 중요한 요소입니다.

"One Day"를 "Day One"으로 바꾸는 전략

"One Day"를 "Day One"으로 바꾸기 위한 전략으로 첫 번째는 명확한 목표 설정과 계획 수립입니다. 명확한 목표를 설정하고, 이를 달성하기 위한 구체적인 계획을 세우는 것이 중요합니다. 예를 들어, "매일 30분씩 운동하기"라는 목표를 설정하고, 이를 달성하기 위해 구체적인 시간과 장소를 정하는 것입니다. 계획을 시각적으로 가시화하여 달력이나 플래너에 기록하면, 행동을 지속할 가능성이 높아집니다. 명확한 목표 설정과 계획 수립은 행동을 촉진하는 중요한 전략입니다.

두 번째 전략은 작은 단계부터 시작하는 것입니다. 큰 목표는 작은 단계로 나누어 점진적으로 달성하는 것이 효과적입니다. 예를 들어, 책 한 권을 쓰는 것이 목표라면, 하루에 한 페이지씩 쓰는 작은 목표부터 시작하는 것이 좋습니다. 작은 단계는 성취감을 느끼게 하고, 지속적인 동기부여를 제공합니다. 작은 단계부터 시작하는 전략은 "One Day"를 "Day One"으로 바꾸는 데 중요한 역할을 합니다.

세 번째 전략은 시간 관리를 효율적으로 하는 것입니다. 하루 일과를 체계적으로 계획하고, 중요한 일을 우선순위로 정하여 실행하는 것이 필요합니다. 예를 들어, 하루 일과를 시간 단위로 나누어 할 일을 계획하고, 중요한 작업부터 시작하는 것이 도움이 됩니다. 시간 관리는 행동을 즉시 시작하고 지속하는 데 중요한 역할을 합니다.

네 번째 전략은 긍정적인 보상 시스템을 구축하는 것입니다. 작은 목표를 달성할 때마다 스스로를 보상하면, 동기부여가 강화되고 행동을 지속할 가능성이 높아집니다. 예를 들어, 하루 일과를 모두 완료했을 때 좋아하는 간식을 먹거나, 휴식을 취하는 보상을 제공하는 것이 효과적입니다. 긍정적인 보상 시스템은 행동을 즉시 시작하고 지속하는 데 중요한 역할을 합니다.

마지막 전략은 지원 시스템을 활용하는 것입니다. 가족, 친구, 동료 등 주변 사람들의 지지와 격려를 받으면, 행동을 즉시 시작하는 데 큰 도움이 됩니다. 예를 들어, 자신의 목표와 계획을 주변 사람들에게 알리고, 그들의 피드백과 지원을 받는 것이 중요합니다. 또한, 전문가의 조언이나 멘토링도 큰 도움이 될 수 있습니다. 지원 시스템은 "One Day"를 "Day One"으로 바꾸는 데 필요한 심리적 지원과 자원을 제공합니다.

실생활 적용 사례

"One Day"를 "Day One"으로 바꾼 실생활 사례는 많은 사람들에게 동기부여와 영감을 줄 수 있습니다. 첫 번째 사례로, 한 스타트업 창업자가 아이디어를 즉시 실행에 옮긴 이야기를 들 수 있습니다. 이 창업자는 새로운 비즈니스 아이디어를 떠올리고, 이를 즉시 실행에 옮기기 위해 팀을 구성하고 시장 조사를 시작했습니다. 그의 빠른 행동 덕분에 경쟁사보다 먼저 시장에 진출할 수 있었고, 이는 큰 성공으로 이어졌습니다. 이 사례는 "One Day"에서 "Day One"으로 전환한 성공적인 예시입니다.

두 번째 사례로, 한 학생이 학업에서 "One Day"를 "Day One"으로 전환한 이야기를 들 수 있습니다. 이 학생은 항상 시험 공부를 미루다가 성적이 떨어지는 문제를 겪었습니다. 그러나 그는 작은 목표를 설정하고, 구체적인 공부 계획을 세우는 전략을 사용하기로 결심했습니다. 매일 일정 시간을 할애하여 공부하고, 주기적으로 자신의 진도를 평가하며 수정해 나갔습니다. 결국 그는 성적이 크게 향상되었고, 이는 "One Day"를 "Day One"으로 바꾼 성공적인 사례입니다.

세 번째 사례로, 한 직장인이 직무에서 "One Day"를 "Day One"으로 전환한 이야기를 들 수 있습니다. 이 직장인은 새로운 프로젝트를 맡게 되었을 때, 즉시 팀을 구성하고 계획을 수립하여 프로젝트를 시작했습니다. 그는 지체하지 않고 즉각적인 행동을 통해 프로젝트를 효율적으로 진행할 수 있었고, 결국 프로젝트를 성공적으로 완료하였습니다. 이 사례는 "One Day"에서 "Day One"으로 전환한 성공적인 예시입니다.

네 번째 사례로, 한 운동선수가 "One Day"를 "Day One"으로 전환한 이야기를 들 수 있습니다. 이 운동선수는 새로운 훈련 프로그램을 즉시 시작하기로 결심하고, 매일 꾸준히 훈련을 진행했습니다. 그는 지체하지 않고 훈련을 통해 점진적으로 실력을 향상시켰고, 결국 대회에서 우승하는 성과를 이뤘습니다. 이 사례는 "One Day"에서 "Day One"으로 전환한 성공적인 예시입니다.

마지막으로, 한 예술가가 창작 활동에서 "One Day"를 "Day One"으로 전환한 이야기를 들 수 있습니다. 이 예술가는 새로운 작품을 구상하자마자 즉시 작업을 시작하였고, 꾸준히 창작 활동을 이어갔습니다. 그의 빠른 행동과 꾸준한 노력 덕분에, 그는 여러 차례 전시회를 성공적으로 개최할 수 있었습니다. 이 사례는 "One Day"에서 "Day One"으로 전환한 성공적인 예시로, 많은 사람들에게 영감을 줍니다.

제 4 장

동기부여를 유지하는 방법

보상 시스템의 설정, 주기적인 자기 평가 및 피드백은 목표를 달성하는 데 중요합니다. 보상은 다양하고 즉각적이어야 하며, 자기 평가는 개인의 발전과 동기 부여에 도움이 됩니다. 또한 피드백은 구체적이며 균형 있게 제공되어야 합니다.

1. 작은 목표 설정 및 달성

작은 목표의 중요성

작은 목표를 설정하는 것은 큰 목표를 달성하는 과정에서 중요한 역할을 합니다. 첫 번째 이유는 작은 목표가 성취감을 제공하고 동기부여를 지속시키기 때문입니다. 큰 목표는 달성하는 데 시간이 오래 걸리기 때문에, 중간에 지치거나 동기부여가 떨어질 수 있습니다. 반면, 작은 목표는 비교적 짧은 시간 내에 달성할 수 있어, 자주 성취감을 느끼게 합니다. 예를 들어, 한 달에 5kg을 감량하는 큰 목표 대신, 매주 1kg씩 감량하는 작은 목표를 설정하면, 주마다 성취감을 느끼고 동기부여를 유지할 수 있습니다. 작은 목표는 지속적인 동기부여를 제공하는 중요한 역할을 합니다.

두 번째 이유는 작은 목표가 구체적이고 실현 가능하기 때문입니다. 큰 목표는 종종 막연하고 추상적이지만, 작은 목표는 구체적이고 실현 가능하여 행동을 구체화하는 데 도움이 됩니다. 예를 들어, "건강해지기"라는 목표보다는 "매일 아침 30분씩 걷기"라는 작은 목표가 더 구체적이고 실현 가능합니다. 구체적이고 실현 가능한 목표는 행동을 구체화하고, 이를 통해 목표 달성을 위한 지속적인 노력을 가능하게 합니다. 작은 목표는 구체적이고 실현 가능하기 때문에 중요한 역할을 합니다.

세 번째 이유는 작은 목표가 계획성과 일관성을 제공하기 때문입니다. 작은 목표를 설정하고 이를 달성하는 과정에서, 개인은 목표 달성을 위한 구체적인 계획을 세우고, 일관된 행동을 취할 수 있습니다. 예를 들어, 한 달에 1권의 책을 읽는 큰 목표 대신, 매일 10페이지씩 읽는 작은 목표를 설정하면, 매일 일관되게 독서를 하는 습관을 기를 수 있습니다. 작은 목표는 계획성과 일관성을 제공하여, 큰 목표를 달성하는 데 중요한 역할을 합니다.

네 번째 이유는 작은 목표가 스트레스를 줄이고 심리적 부담을 경감시키기 때문입니다. 큰 목표는 달성하기 어려워 보이고, 이는 심리적 부담과 스트레스를 증가시킬 수 있습니다. 반면, 작은 목표는 달성하기 쉬워 보이며, 이를 통해 스트레스와 부담을 줄일 수 있습니다. 예를 들어, 한 달 안에 큰 프로젝트를 완성하는 대신, 매일 일정량의 작업을 완료하는 작은 목표를 설정하면, 스트레스를 줄이고 작업을 더 효과적으로 진행할 수 있습니다. 작은 목표는 스트레스를 줄이고 심리적 부담을 경감시키는 중요한 역할을 합니다.

마지막으로, 작은 목표는 학습과 성장을 촉진합니다. 작은 목표를 설정하고 이를 달성하는 과정에서, 개인은 지속적으로 학습하고 성장할 수 있습니다. 예를 들어, 새로운 기술을 배우는 큰 목표 대신, 매주 한 가지 기술을 배우는 작은 목표를 설정하면, 지속적으로 학습하고 성장할 수 있습니다. 작은 목표는 학습과 성장을 촉진하여, 큰 목표를 달성하는 데 중요한 역할을 합니다.

작은 목표 설정 방법

작은 목표를 효과적으로 설정하기 위해서는 몇 가지 중요한 전략을 활용할 수 있습니다. 첫 번째 전략은 SMART 목표 설정법을 사용하는 것입니다. SMART 목표는 구체적인(Specific), 측정 가능한(Measurable),

달성 가능한(Achievable), 관련성 있는(Relevant), 시간 제한적인(Time-bound)을 포함한 목표 설정 방법입니다. 예를 들어, "매일 아침 30분씩 걷기"라는 목표는 구체적이고 측정 가능하며, 달성 가능하고, 건강과 관련성이 있으며, 시간 제한이 명확합니다. SMART 목표 설정법은 작은 목표를 효과적으로 설정하는 데 중요한 도구입니다.

두 번째 전략은 큰 목표를 작은 단계로 나누는 것입니다. 큰 목표를 달성하기 위해서는 이를 작은 단계로 나누어 점진적으로 접근하는 것이 중요합니다. 예를 들어, 한 달에 5kg을 감량하는 큰 목표를 설정했다면, 이를 매주 1kg씩 감량하는 작은 목표로 나누는 것입니다. 이러한 접근은 큰 목표를 보다 구체적이고 실현 가능하게 만들며, 작은 성공 경험을 통해 지속적인 동기부여를 제공합니다. 큰 목표를 작은 단계로 나누는 전략은 효과적인 목표 설정 방법입니다.

세 번째 전략은 구체적인 행동 계획을 세우는 것입니다. 목표를 설정할 때, 이를 달성하기 위한 구체적인 행동 계획을 세우는 것이 중요합니다. 예를 들어, "매일 아침 30분씩 걷기"라는 목표를 설정했다면, 이를 달성하기 위한 구체적인 행동 계획으로 매일 아침 6시에 일어나 걷기를 시작하는 것을 포함할 수 있습니다. 구체적인 행동 계획은 목표를 달성하기 위한 명확한 로드맵을 제공하며, 이는 지속적인 행동을 가능하게 합니다. 구체적인 행동 계획은 작은 목표를 효과적으로 설정하는 데 중요한 역할을 합니다.

네 번째 전략은 목표를 시각적으로 가시화하는 것입니다. 목표를 시각적으로 가시화하면, 이를 지속적으로 인식하고 동기부여를 유지할 수 있습니다. 예를 들어, 목표를 달력이나 플래너에 기록하거나, 목표를 상기시키는 메모를 눈에 잘 보이는 곳에 붙여두는 것이 도움이 됩니다. 시각적으로 가시화된 목표는 행동을 지속하고, 목표를 달성하는 데 중요한 역할을 합니다.

마지막 전략은 작은 목표를 달성할 때마다 스스로를 보상하는 것입니다. 작은 목표를 달성할 때마다 자신에게 작은 보상을 제공하면, 동기부여가 강화되고 행동을 지속할 가능성이 높아집니다. 예를 들어, 매일 아침 30분씩 걷기를 완료했을 때 자신에게 좋아하는 간식을 제공하거나, 휴식을 취하는 보상을 제공하는 것이 효과적입니다. 보상 시스템은 작은 목표를 효과적으로 설정하고 달성하는 데 중요한 역할을 합니다.

작은 목표 달성의 사례

작은 목표를 설정하고 달성한 성공적인 사례는 많은 사람들에게 영감을 줄 수 있습니다. 첫 번째 사례로, 한 학생이 학업에서 작은 목표를 설정하고 달성한 이야기를 들 수 있습니다. 이 학생은 매일 일정 시간을 공부하기로 결심하고, 매일 1시간씩 공부하는 작은 목표를 설정했습니다. 그는 이 작은 목표를 꾸준히 실천하여, 결국 높은 성적을 받을 수 있었습니다. 이 사례는 작은 목표가 학업 성취에 어떻게 기여하는지를 잘 보여줍니다.

두 번째 사례로, 한 직장인이 직무에서 작은 목표를 설정하고 달성한 이야기를 들 수 있습니다. 이 직장인은 매일 일정량의 작업을 완료하기로 결심하고, 매일 1시간씩 집중하여 중요한 작업을 완료하는 작은 목표를 설정했습니다. 그는 이 작은 목표를 꾸준히 실천하여, 프로젝트를 성공적으로 완료할 수 있었습니다. 이 사례는 작은 목표가 직무 성과에 중요한 역할을 한다는 것을 보여줍니다.

세 번째 사례로, 한 운동선수가 훈련에서 작은 목표를 설정하고 달성한 이야기를 들 수 있습니다. 이 운동선수는 매일 일정한 거리를 달리기로 결심하고, 매일 5km를 달리는 작은 목표를 설정했습니다. 그는 이 작은 목표를 꾸준히 실천하여, 결국 마라톤을 완주할 수 있었습니다. 이 사례는 작은 목표가 스포츠 성과에 어떻게 기여하는지를 잘 보여줍니다.

네 번째 사례로, 한 작가가 글쓰기에서 작은 목표를 설정하고 달성한 이야기를 들 수 있습니다. 이 작가는 매일 일정 분량의 글을 쓰기로 결심하고, 매일 500자씩 글을 쓰는 작은 목표를 설정했습니다. 그는 이 작은 목표를 꾸준히 실천하여, 결국 책을 완성할 수 있었습니다. 이 사례는 작은 목표가 창작 활동에 중요한 역할을 한다는 것을 보여줍니다.

마지막 사례로, 한 사람의 건강 목표를 설정하고 달성한 이야기를 들 수 있습니다. 이 사람은 체중 감량을 목표로 하고, 매일 30분씩 운동하는 작은 목표를 설정했습니다. 그는 이 작은 목표를 꾸준히 실천하여, 결국 원하는 체중을 달성할 수 있었습니다. 이 사례는 작은 목표가 건강 목표 달성에 중요한 역할을 한다는 것을 보여줍니다.

2. 자기 보상 시스템

자기 보상의 중요성

자기 보상 시스템은 목표를 달성하고 행동을 지속하는 데 중요한 역할을 합니다. 첫 번째 이유는 보상이 동기부여를 강화하기 때문입니다. 보상은 긍정적인 강화 요소로 작용하여, 특정 행동을 반복하도록 촉진합니다. 예를 들어, 운동을 완료한 후 좋아하는 간식을 먹는 것은 운동에 대한 긍정적인 경험을 만들어 주며, 이를 지속할 동기부여를 제공합니다. 자기 보상 시스템은 긍정적인 강화 메커니즘을 통해 행동을 지속하는 데 중요한 역할을 합니다.

두 번째 이유는 보상이 성취감을 높여주기 때문입니다. 작은 목표를 달성하고 보상을 받으면, 성취감을 느끼게 되며, 이는 자신감과 자존감을 높이는 데 도움이 됩니다. 예를 들어, 한 주 동안 학습 목표를 달성한 후 영화 관람이라는 보상을 주는 것은 학습 과정에서의 성취감을 높이고, 다음 주의 학습 목표를 향해 더 열심히 노력하게 만듭니다. 자기 보상 시스템은 성취감을 통해 자신감을 높이는 데 중요한 역할을 합니다.

세 번째 이유는 보상이 스트레스를 줄이고 긍정적인 감정을 촉진하기 때문입니다. 목표를 달성한 후 받는 보상은 긴장과 스트레스를 해소하는 데 도움이 되며, 긍정적인 감정을 증진시킵니다. 예를 들어, 중요한 프로젝트를 완료한 후 휴가를 떠나는 것은 프로젝트 진행 중 쌓인 스트레스를 풀고, 재충전할 기회를 제공합니다. 자기 보상 시스템은 스트레스 해소와 긍정적인 감정 촉진에 중요한 역할을 합니다.

네 번째 이유는 보상이 목표 달성의 지속성을 유지하는 데 도움이 되기 때문입니다. 지속적인 보상은 목표를 달성하는 과정에서의 어려움을 극복하고, 꾸준히 목표를 향해 나아가게 만듭니다. 예를 들어, 매일 운동을 한 후 작은 보상을 주는 것은 운동을 지속하게 만드는 중요한 요소가 됩니다. 자기 보상 시스템은 목표 달성의 지속성을 유지하는 데 중요한 역할을 합니다.

마지막으로, 보상은 행동을 체계화하고 규칙성을 부여하는 데 도움이 됩니다. 규칙적인 보상은 행동을 습관화하는 데 기여하며, 이는 장기적으로 긍정적인 변화를 가져옵니다. 예를 들어, 매일 아침 명상 후 자신에게 차 한 잔을 보상으로 주는 것은 명상을 일상적인 습관으로 만드는 데 도움이 됩니다. 자기 보상 시스템은 행동을 체계화하고 규칙성을 부여하는 데 중요한 역할을 합니다.

효과적인 자기 보상 방법

효과적인 자기 보상 방법을 활용하면 목표 달성과 행동 지속성을 높일 수 있습니다. 첫 번째 방법은 구체적이고 명확한 보상을 설정하는 것입니다. 목표를 달성했을 때 받을 보상을 구체적으로 정하면, 목표를 향해 나아가는 과정에서의 동기부여가 강화됩니다. 예를 들어, 매일 30분씩 운동을 한 후 좋아하는 간식을 먹는 보상을 정하는 것입니다. 구체적이고 명확한 보상 설정은 동기부여를 강화하는 데 중요한 역할을 합니다.

두 번째 방법은 보상을 단계적으로 설정하는 것입니다. 작은 목표를 달성할 때마다 작은 보상을 주고, 큰 목표를 달성할 때는 더 큰 보상을 주는 방식입니다. 이는 작은 성취감을 통해 지속적인 동기부여를 제공하고, 큰 목표를 향해 나아가는 동력을 유지시킵니다. 예를 들어, 매일 학습 목표를 달성할 때마다 작은 간식을 먹고, 한 달 동안 목표를 달성하면 영화 관람을 하는 것입니다. 단계적인 보상 설정은 목표 달성의 지속성을 높이는 데 중요합니다.

세 번째 방법은 개인의 취향과 관심사에 맞춘 보상을 설정하는 것입니다. 보상은 개인이 즐거워하고 만족감을 느끼는 것일수록 효과적입니다. 예를 들어, 독서를 좋아하는 사람은 목표를 달성한 후 새로운 책을 읽는 시간을 보상으로 설정할 수 있습니다. 개인의 취향과 관심사에 맞춘 보상 설정은 동기부여를 강화하는 데 중요한 역할을 합니다.

네 번째 방법은 즉각적인 보상을 제공하는 것입니다. 목표를 달성한 직후에 보상을 주면, 행동과 보상 간의 연관성이 강화되어 긍정적인 강화 효과가 극대화됩니다. 예를 들어, 운동을 완료한 후 즉시 휴식을 취하거나, 좋아하는 음료를 마시는 것입니다. 즉각적인 보상은 행동을 지속하고 목표를 달성하는 데 중요한 역할을 합니다.

마지막 방법은 보상을 변형하고 다양화하는 것입니다. 동일한 보상을 계속 받으면 그 효과가 줄어들 수 있으므로, 다양한 보상을 설정하여 동기부여를 유지하는 것이 중요합니다. 예를 들어, 한 주는 외식을 하고, 다음 주는 영화를 보는 등 보상을 다양화하는 것입니다. 보상의 변형과 다양화는 동기부여를 지속하는 데 중요한 역할을 합니다.

실생활에서의 자기 보상 사례

자기 보상 시스템을 실생활에서 효과적으로 활용한 사례는 많은 사람들에게 영감을 줄 수 있습니다. 첫 번째 사례로, 한 학생이 학업에서 자기 보상 시스템을 활용한 이야기를 들 수 있습니다. 이 학생은 매일 일정 시간을 공부한 후, 그 보상으로 좋아하는 간식을 먹기로 했습니다. 또한, 주간 목표를 달성하면 주말에 친구들과 영화 관람을 하는 보상을 설정했습니다. 이러한 자기 보상 시스템 덕분에 그는 학습 동기부여를 유지하고, 높은 성적을 받을 수 있었습니다.

두 번째 사례로, 한 직장인이 직무에서 자기 보상 시스템을 활용한 이야기를 들 수 있습니다. 이 직장인은 매일 중요한 업무를 완료할 때마다 작은 휴식을 취하는 보상을 설정했습니다. 또한, 월간 목표를 달성하면 주말 여행을 계획하여 자신을 보상했습니다. 이러한 자기 보상 시스템은 그의 직무 성과를 높이는 데 큰 도움이 되었습니다. 이 사례는 자기 보상 시스템이 직무 성과에 중요한 역할을 한다는 것을 보여줍니다.

세 번째 사례로, 한 운동선수가 훈련에서 자기 보상 시스템을 활용한 이야기를 들 수 있습니다. 이 운동선수는 매일 훈련을 완료한 후, 자신에게 좋아하는 음료를 마시는 보상을 주기로 했습니다. 또한, 주간 목표를 달성하면 휴식을 취하거나, 새로운 운동 장비를 구입하는 보상을 설정했습니다. 이러한 자기 보상 시스템은 그의 훈련 동기부여를 높이고, 성과를 향상시키는 데 중요한 역할을 했습니다.

네 번째 사례로, 한 작가가 글쓰기에서 자기 보상 시스템을 활용한 이야기를 들 수 있습니다. 이 작가는 매일 일정 분량의 글을 쓰면, 그 보상으로 좋아하는 음악을 듣거나, 산책을 하는 시간을 가졌습니다. 또한, 주간 목표를 달성하면 자신에게 작은 선물을 주는 보상을 설정했습니다. 이러한 자기 보상 시스템 덕분에 그는 꾸준히 글을 쓰고, 결국 책을 완성할 수 있었습니다.

마지막 사례로, 한 사람이 체중 감량 목표를 달성하기 위해 자기 보상 시스템을 활용한 이야기를 들 수 있습니다. 이 사람은 매일 운동을 완료할 때마다 자신에게 작은 보상을 주기로 했습니다. 예를 들어, 운동 후 좋아하는 드라마를 보는 시간을 가졌습니다. 또한, 월간 목표를 달성하면 새로운 운동복을 구입하는 보상을 설정했습니다. 이러한 자기 보상 시스템은 그의 체중 감량 목표를 달성하는 데 큰 도움이 되었습니다. 이 사례는 자기 보상 시스템이 건강 목표 달성에 중요한 역할을 한다는 것을 보여줍니다.

3. 지속적인 자기 평가와 피드백

자기 평가의 필요성

자기 평가는 개인의 목표 달성과 성장을 위해 필수적인 요소입니다. 첫 번째 이유는 자기 평가가 자신의 현재 상태와 목표 사이의 차이를 명확하게 파악하는 데 도움을 주기 때문입니다. 목표를 달성하기 위해서는 현재 상태를 정확히 인식하고, 무엇을 개선해야 하는지를 알아야 합니다. 예를 들어, 학업 성취를 목표로 하는 학생은 주기적으로 자신의 학습 성과를 평가하여 부족한 부분을 보완할 수 있습니다. 자기 평가는 현재 상태와 목표 사이의 차이를 파악하는 데 중요한 역할을 합니다.

두 번째 이유는 자기 평가가 지속적인 개선과 발전을 가능하게 하기 때문입니다. 주기적인 평가를 통해 자신의 강점과 약점을 파악하고, 이를 바탕으로 개선할 부분을 찾아내는 것이 중요합니다. 예를 들어, 직장에서의 성과를 평가하고, 자신의 업무 능력을 향상시키기 위한 구체적인 계획을 세울 수 있습니다. 자기 평가는 지속적인 개선과 발전을 가능하게 하는 중요한 도구입니다.

세 번째 이유는 자기 평가가 동기부여를 유지하는 데 도움을 주기 때문입니다. 주기적으로 자신의 성과를 평가하고, 작은 성취를 확인하면 성취감을 느끼고 동기부여를 지속할 수 있습니다. 예를 들어, 운동 목표를 설정한 사람이 주기적으로 자신의 체력 변화를 평가하면, 운동의 효과를 직접 확인할 수 있어 동기부여가 강화됩니다. 자기 평가는 동기부여를 유지하는 데 중요한 역할을 합니다.

네 번째 이유는 자기 평가가 책임감을 높이는 데 기여하기 때문입니다. 자신이 설정한 목표에 대한 주기적인 평가를 통해 자신의 행동에 대한 책임감을 느끼게 됩니다. 예를 들어, 프로젝트 관리자가 주기적으로 프로젝트 진행 상황을 평가하면, 프로젝트에 대한 책임감을 느끼고 더 철저하게 관리할 수 있습니다. 자기 평가는 책임감을 높이는 데 중요한 역할을 합니다.

마지막으로, 자기 평가는 장기적인 목표 달성에 필요한 방향성을 제공하는 데 도움이 됩니다. 주기적인 평가를 통해 자신의 진행 상황을 확인하고, 필요에 따라 목표나 전략을 조정할 수 있습니다. 예를 들어, 다이어트를 하는 사람이 주기적으로 체중 변화를 평가하고, 필요에 따라 식단이나 운동 계획을 조정하는 것이 중요합니다. 자기 평가는 장기적인 목표 달성에 필요한 방향성을 제공하는 데 중요한 역할을 합니다.

효과적인 피드백 방법

효과적인 피드백은 목표 달성에 중요한 역할을 합니다. 첫 번째 방법은 구체적이고 명확한 피드백을 제공하는 것입니다. 피드백은 구체적이어야 하며, 무엇을 잘했고 무엇을 개선해야 하는지를 명확하게 전달해야 합니다. 예를 들어, "더 열심히 해라"는 막연한 피드백보다는 "발표 내용이 잘 정리되었으나, 결론 부분에서 더 명확한 요약이 필요하다"는 구체적인 피드백이 더 효과적입니다. 구체적이고 명확한 피드백은 개선점을 명확하게 제시하는 데 중요한 역할을 합니다.

두 번째 방법은 긍정적인 피드백과 건설적인 비판을 균형 있게 제공하는 것입니다. 피드백은 긍정적인 면을 강조하면서도 개선이 필요한 부분을 건설적으로 제시해야 합니다. 예를 들어, "이번 프로젝트에서 팀워크가 훌륭했지만, 일정 관리가 조금 더 필요하다"는 피드백은 긍정적인 면을 인정하면서도 개선점을 제시하는 효과적인 방법입니다. 균형 잡힌 피드백은 동기부여를 유지하면서도 개선을 촉진하는 데 중요합니다.

세 번째 방법은 피드백을 주기적으로 제공하는 것입니다. 피드백은 일회성으로 끝나지 않고, 주기적으로 제공되어야 지속적인 개선과 발전이 가능해집니다. 예를 들어, 매주 팀 회의를 통해 진행 상황을 평가하고 피드백을 제공하는 것이 효과적입니다. 주기적인 피드백은 지속적인 개선을 가능하게 하는 중요한 요소입니다.

네 번째 방법은 피드백을 수용하고 반영하는 태도를 가지는 것입니다. 피드백을 주는 것만큼이나 받는 것도 중요합니다. 피드백을 수용하고, 이를 바탕으로 구체적인 행동 계획을 세워 개선하는 것이 필요합니다. 예를 들어, 상사로부터 받은 피드백을 바탕으로 업무 방식을 개선하고, 이를 지속적으로 평가하는 것이 중요합니다. 피드백을 수용하고 반영하는 태도는 개인의 성장과 발전에 중요한 역할을 합니다.

마지막 방법은 피드백을 통해 학습하고 성장하는 기회를 제공하는 것입니다. 피드백은 단순히 잘못을 지적하는 것이 아니라, 학습하고 성장할 수 있는 기회를 제공하는 것이어야 합니다. 예를 들어, 학생에게 피드백을 줄 때, 단순히 잘못된 점을 지적하는 것보다는 어떻게 개선할 수 있을지 구체적인 방법을 제시하는 것이 중요합니다. 피드백을 통해 학습하고 성장하는 기회를 제공하는 것은 개인의 발전에 중요한 역할을 합니다.

자기 평가와 피드백 사례

자기 평가와 피드백을 효과적으로 활용한 실생활 사례는 많은 사람들에게 영감을 줄 수 있습니다. 첫 번째 사례로, 한 학생이 학업에서 자기 평가와 피드백을 활용한 이야기를 들 수 있습니다. 이 학생은 매주 자신의 학습 성과를 평가하고, 부족한 부분을 보완하기 위한 계획을 세웠습니다. 또한, 교사로부터 받은 피드백을 바탕으로 학습 방법을 개선하고, 주기적으로 자신의 학습 상황을 점검했습니다. 이러한 자기 평가와 피드백 시스템 덕분에 그는 높은 성적을 받을 수 있었습니다.

두 번째 사례로, 한 직장인이 직무에서 자기 평가와 피드백을 활용한 이야기를 들 수 있습니다. 이 직장인은 매주 자신의 업무 성과를 평가하고, 상사와 동료로부터 피드백을 받아 이를 바탕으로 업무 방식을 개선했습니다. 또한, 주기적인 평가 회의를 통해 자신의 진행 상황을 점검하고, 필요한 조치를 취했습니다. 이러한 자기 평가와 피드백 시스템은 그의 업무 성과를 높이는 데 큰 도움이 되었습니다.

세 번째 사례로, 한 운동선수가 훈련에서 자기 평가와 피드백을 활용한 이야기를 들 수 있습니다. 이 운동선수는 매일 자신의 훈련 성과를 평가하고, 코치로부터 받은 피드백을 바탕으로 훈련 방식을 조정했습니다. 또한, 주기적으로 자신의 체력과 기술을 평가하여, 부족한 부분을 보완하기 위한 구체적인 계획을 세웠습니다. 이러한 자기 평가와 피드백 시스템은 그의 운동 성과를 향상시키는 데 중요한 역할을 했습니다.

네 번째 사례로, 한 작가가 글쓰기에서 자기 평가와 피드백을 활용한 이야기를 들 수 있습니다. 이 작가는 매일 일정 분량의 글을 쓰고, 이를 주기적으로 평가하여 개선점을 찾았습니다. 또한, 동료 작가나 편집자로부터 받은 피드백을 바탕으로 글을 수정하고, 더 나은 작품을 만들기 위해 노력했습니다. 이러한 자기 평가와 피드백 시스템 덕분에 그는 결국 책을 성공적으로 출판할 수 있었습니다.

마지막 사례로, 한 사람이 체중 감량 목표를 달성하기 위해 자기 평가와 피드백을 활용한 이야기를 들 수 있습니다. 이 사람은 매주 자신의 체중 변화를 평가하고, 식단과 운동 계획을 조정했습니다. 또한, 트레이너로부터 받은 피드백을 바탕으로 운동 방식을 개선하고, 주기적으로 자신의 진행 상황을 점검했습니다. 이러한 자기 평가와 피드백 시스템은 그의 체중 감량 목표를 달성하는 데 큰 도움이 되었습니다. 이 사례는 자기 평가와 피드백이 건강 목표 달성에 중요한 역할을 한다는 것을 보여줍니다.

제 5 장　　　　　　　　# 성공적인
습관 형성

습관 형성은 인식부터 유지까지 여러 단계로 이루어지며,
작은 목표 설정, 루틴 유지, 시각적 도구 활용 등의 전략으로
좋은 습관을 만들 수 있습니다. 이 방법들은 학생부터
체중 감량을 원하는 사람까지 모두에게 효과적인 결과를
가져왔습니다.

1. 좋은 습관과 나쁜 습관

좋은 습관의 정의와 예시

좋은 습관은 개인의 삶과 성과에 긍정적인 영향을 미치는 반복적인 행동 패턴을 의미합니다. 이러한 습관은 건강, 생산성, 인간관계 등 여러 측면에서 삶의 질을 향상시키는 데 중요한 역할을 합니다. 첫 번째 예로, 규칙적인 운동 습관을 들 수 있습니다. 매일 일정 시간 동안 운동을 하면 체력과 건강이 향상되고, 스트레스 해소와 정신적 안정을 얻을 수 있습니다. 예를 들어, 아침마다 30분씩 조깅을 하는 사람은 신체 건강을 유지하고, 하루를 활기차게 시작할 수 있습니다. 규칙적인 운동은 좋은 습관의 대표적인 예입니다.

두 번째 예로, 꾸준한 독서 습관을 들 수 있습니다. 매일 일정 시간을 할애해 독서를 하면 지식과 교양이 쌓이고, 사고력과 집중력이 향상됩니다. 예를 들어, 매일 잠자기 전에 30분씩 책을 읽는 사람은 다양한 분야의 지식을 습득하고, 자기계발에 큰 도움을 받을 수 있습니다. 꾸준한 독서는 좋은 습관의 또 다른 예입니다.

세 번째 예로, 체계적인 시간 관리 습관을 들 수 있습니다. 일정을 계획하고, 우선순위를 정해 효율적으로 시간을 사용하면, 생산성과 성과가 크게 향상됩니다. 예를 들어, 매일 아침 일과를 계획하고, 중요한 일을 먼저 처리하는 습관을 들인 사람은 업무 효율성을 높이고, 목표를 효과적으로 달성할 수 있습니다. 체계적인 시간 관리는 좋은 습관의 중요한 예입니다.

네 번째 예로, 건강한 식습관을 들 수 있습니다. 균형 잡힌 식사를 하고, 규칙적으로 식사 시간을 지키는 것은 신체 건강을 유지하는 데 필수적입니다. 예를 들어, 매일 아침 건강한 아침 식사를 챙겨 먹는 사람은 하루를 활기차게 시작하고, 전반적인 건강 상태를 개선할 수 있습니다. 건강한 식습관은 좋은 습관의 대표적인 예입니다.

마지막 예로, 긍정적인 사고 습관을 들 수 있습니다. 항상 긍정적인 태도로 문제를 바라보고, 긍정적인 언어를 사용하면, 정신적 안정을 유지하고, 스트레스를 효과적으로 관리할 수 있습니다. 예를 들어, 매일 감사의 일기를 쓰는 사람은 긍정적인 마음가짐을 유지하고, 행복감을 느끼는 데 큰 도움이 됩니다. 긍정적인 사고 습관은 좋은 습관의 중요한 예입니다.

나쁜 습관의 정의와 극복 방법

나쁜 습관은 개인의 삶과 성과에 부정적인 영향을 미치는 반복적인 행동 패턴을 의미합니다. 이러한 습관은 건강, 생산성, 인간관계 등 여러 측면에서 삶의 질을 저하시킬 수 있습니다. 첫 번째 예로, 흡연과 같은 건강에 해로운 습관을 들 수 있습니다. 흡연은 신체 건강을 해치고, 각종 질병의 원인이 됩니다. 예를 들어, 하루에 여러 차례 흡연하는 사람은 폐 질환, 심장병 등의 위험에 노출됩니다. 흡연과 같은 나쁜 습관은 건강에 치명적인 영향을 미칠 수 있습니다.

나쁜 습관을 극복하기 위해서는 첫 번째로, 나쁜 습관의 원인을 파악하는 것이 중요합니다. 나쁜 습관이 형성된 이유를 이해하고, 이를 해결하기 위한 구체적인 계획을 세우는 것이 필요합니다.

예를 들어, 스트레스로 인해 흡연을 시작한 사람은 스트레스를 관리할 수 있는 대체 방법을 찾아야 합니다. 나쁜 습관의 원인을 파악하고 해결하는 것은 극복의 첫 걸음입니다.

두 번째 방법은 구체적이고 실현 가능한 목표를 설정하는 것입니다. 나쁜 습관을 한 번에 완전히 없애기보다는, 단계적으로 줄여 나가는 것이 더 효과적입니다. 예를 들어, 하루에 10개비의 담배를 피우던 사람이 매주 한 개비씩 줄이는 목표를 설정하면, 점진적으로 흡연을 줄일 수 있습니다. 구체적이고 실현 가능한 목표 설정은 나쁜 습관을 극복하는 데 중요한 역할을 합니다.

세 번째 방법은 대체 행동을 찾는 것입니다. 나쁜 습관을 대체할 수 있는 긍정적인 행동을 찾으면, 나쁜 습관을 극복하기가 더 쉬워집니다. 예를 들어, 흡연 대신 운동이나 명상을 하는 것이 도움이 될 수 있습니다. 대체 행동은 나쁜 습관을 건강한 행동으로 바꾸는 데 중요한 역할을 합니다.

네 번째 방법은 지원 시스템을 활용하는 것입니다. 가족, 친구, 동료 등 주변 사람들의 지지와 격려는 나쁜 습관을 극복하는 데 큰 도움이 됩니다. 예를 들어, 금연을 목표로 하는 사람이 주변 사람들에게 자신의 목표를 알리고, 그들의 지지를 받으면, 목표를 달성하기가 더 쉬워집니다. 지원 시스템은 나쁜 습관을 극복하는 데 필요한 심리적 지원을 제공합니다.

마지막 방법은 긍정적인 강화와 보상을 사용하는 것입니다. 나쁜 습관을 줄이거나 극복했을 때 자신에게 작은 보상을 주면,

동기부여가 강화되고 행동을 지속할 가능성이 높아집니다. 예를 들어, 한 달 동안 금연에 성공했을 때 자신에게 좋아하는 활동을 허용하는 보상을 제공하는 것입니다. 긍정적인 강화와 보상은 나쁜 습관을 극복하는 데 중요한 역할을 합니다.

습관 형성의 사례

좋은 습관을 형성한 성공적인 사례는 많은 사람들에게 영감을 줄 수 있습니다. 첫 번째 사례로, 한 학생이 학업에서 좋은 습관을 형성한 이야기를 들 수 있습니다. 이 학생은 매일 일정 시간을 공부하기로 결심하고, 매일 2시간씩 공부하는 습관을 형성했습니다. 그는 이 습관을 꾸준히 유지하여, 결국 높은 성적을 받을 수 있었습니다. 이 사례는 좋은 습관이 학업 성취에 어떻게 기여하는지를 잘 보여줍니다.

두 번째 사례로, 한 직장인이 직무에서 좋은 습관을 형성한 이야기를 들 수 있습니다. 이 직장인은 매일 아침 30분 일찍 출근하여 하루의 일과를 계획하는 습관을 형성했습니다. 그는 이 습관을 통해 업무 효율성을 높이고, 프로젝트를 성공적으로 완료할 수 있었습니다. 이 사례는 좋은 습관이 직무 성과에 중요한 역할을 한다는 것을 보여줍니다.

세 번째 사례로, 한 운동선수가 훈련에서 좋은 습관을 형성한 이야기를 들 수 있습니다. 이 운동선수는 매일 일정한 시간에 훈련을 시작하고, 규칙적으로 식사와 휴식을 취하는 습관을 형성했습니다. 그는 이 습관을 통해 체력과 기술을 향상시키고, 대회에서 우승하는 성과를 이뤘습니다. 이 사례는 좋은 습관이 스포츠 성과에 어떻게 기여하는지를 잘 보여줍니다.

네 번째 사례로, 한 작가가 글쓰기에서 좋은 습관을 형성한 이야기를 들 수 있습니다. 이 작가는 매일 아침 일정한 시간에 글을 쓰는 습관을 형성했습니다. 그는 이 습관을 통해 꾸준히 창작 활동을 이어가며, 결국 책을 성공적으로 출판할 수 있었습니다. 이 사례는 좋은 습관이 창작 활동에 중요한 역할을 한다는 것을 보여줍니다.

마지막 사례로, 한 사람이 체중 감량 목표를 달성하기 위해 좋은 습관을 형성한 이야기를 들 수 있습니다. 이 사람은 매일 30분씩 운동을 하고, 건강한 식단을 유지하는 습관을 형성했습니다. 그는 이 습관을 꾸준히 유지하여, 결국 원하는 체중을 달성할 수 있었습니다. 이 사례는 좋은 습관이 건강 목표 달성에 중요한 역할을 한다는 것을 보여줍니다.

2. 습관 형성의 단계

습관 형성의 과정

습관 형성은 특정 행동을 반복적으로 수행하여 자동적으로 이루어지는 행동 패턴으로 만드는 과정입니다. 첫 번째 단계는 인식 단계입니다. 이 단계에서는 현재의 행동 패턴을 인식하고, 새로운 습관을 형성할 필요성을 자각하게 됩니다. 예를 들어, 체중 감량을 목표로 하는 사람이 자신의 식습관과 운동 패턴을 평가하여 개선할 필요성을 인식하는 것입니다. 인식 단계는 변화의 첫 걸음입니다.

두 번째 단계는 결심 단계입니다. 이 단계에서는 구체적인 목표를 설정하고, 이를 달성하기 위한 결심을 합니다. 예를 들어, "매일 30분씩 조깅하기"라는 구체적인 목표를 설정하는 것입니다. 결심 단계는 새로운 습관 형성의 의지를 다지는 중요한 과정입니다.

세 번째 단계는 준비 단계입니다. 이 단계에서는 목표를 달성하기 위해 필요한 자원과 환경을 준비합니다. 예를 들어, 조깅을 시작하기 위해 운동화를 구입하고, 운동할 시간을 정하는 것입니다. 준비 단계는 습관 형성을 위한 기반을 마련하는 중요한 과정입니다.

네 번째 단계는 실행 단계입니다. 이 단계에서는 설정한 목표를 실천하고, 반복적으로 행동을 수행합니다. 예를 들어, 매일 아침 30분씩 조깅을 시작하는 것입니다. 실행 단계는 습관 형성의 핵심 과정으로, 지속적인 노력이 필요합니다.

마지막 단계는 유지 단계입니다. 이 단계에서는 형성된 습관을 지속적으로 유지하고, 이를 생활의 일부로 만듭니다. 예를 들어, 조깅을 생활 습관으로 정착시키는 것입니다. 유지 단계는 새로운 습관을 일상으로 정착시키는 과정입니다.

습관 형성 단계별 전략

습관 형성의 각 단계에서 효과적인 전략을 활용하면 성공적으로 습관을 형성할 수 있습니다. 첫 번째 단계인 인식 단계에서는 자기 평가와 성찰을 통해 현재의 행동 패턴을 명확히 인식하는 것이 중요합니다. 예를 들어, 일주일 동안 자신의 식습관을 기록하고 평가하여 개선이 필요한 부분을 파악하는 것입니다. 자기 평가와 성찰은 변화의 필요성을 자각하게 만듭니다.

두 번째 단계인 결심 단계에서는 구체적이고 실현 가능한 목표를 설정하는 것이 중요합니다. SMART 목표 설정법을 활용하여 목표를 구체적인(Specific), 측정 가능한(Measurable), 달성 가능한(Achievable), 관련성 있는(Relevant), 시간 제한적인(Time-bound)으로 설정하면 효과적입니다. 예를 들어, "매일 30분씩 조깅하기"라는 SMART 목표를 설정하는 것입니다. 구체적인 목표 설정은 행동을 구체화하는 데 중요한 역할을 합니다.

세 번째 단계인 준비 단계에서는 목표를 달성하기 위해 필요한 자원과 환경을 준비하는 것이 중요합니다. 예를 들어, 조깅을 시작하기 위해 운동화를 구입하고, 조깅할 시간을 일과에 맞추어 정하는 것입니다. 또한, 주변의 지지를 받을 수 있도록 가족이나 친구들에게 목표를 공유하는 것도 도움이 됩니다. 준비 단계는 습관 형성을 위한 기반을 마련하는 과정입니다.

네 번째 단계인 실행 단계에서는 행동을 지속적으로 반복하는 것이 중요합니다. 처음에는 작은 단계부터 시작하여 점차적으로 행동을 확장해 나가는 것이 효과적입니다. 예를 들어, 처음에는 10분씩 조깅을 시작하고, 점차 시간을 늘려 30분씩 조깅하는 것입니다. 작은 성공 경험을 통해 자신감을 얻고, 행동을 지속할 수 있는 동기부여를 유지하는 것이 중요합니다.

마지막 단계인 유지 단계에서는 형성된 습관을 일상 생활의 일부로 만들기 위한 노력이 필요합니다. 이를 위해 정기적인 자기 평가와 피드백을 통해 습관이 잘 유지되고 있는지 점검하고, 필요에 따라 조정하는 것이 중요합니다. 예를 들어, 매달 자신의 조깅 일지를 점검하고, 목표 달성을 위해 필요한 조치를 취하는 것입니다. 유지 단계는 습관을 지속적으로 유지하고 강화하는 데 중요한 역할을 합니다.

성공적인 습관 형성 사례

성공적인 습관 형성 사례는 많은 사람들에게 영감을 줄 수 있습니다. 첫 번째 사례로, 한 학생이 학업에서 좋은 습관을 형성한 이야기를 들 수 있습니다. 이 학생은 매일 일정 시간을 공부하기로 결심하고, 매일 2시간씩 공부하는 습관을 형성했습니다. 그는 이 습관을 꾸준히 유지하여, 결국 높은 성적을 받을 수 있었습니다. 이 사례는 좋은 습관이 학업 성취에 어떻게 기여하는지를 잘 보여줍니다.

두 번째 사례로, 한 직장인이 직무에서 좋은 습관을 형성한 이야기를 들 수 있습니다. 이 직장인은 매일 아침 30분 일찍 출근하여 하루의 일과를 계획하는 습관을 형성했습니다. 그는 이 습관을 통해 업무 효율성을 높이고, 프로젝트를 성공적으로 완료할 수 있었습니다. 이 사례는 좋은 습관이 직무 성과에 중요한 역할을 한다는 것을 보여줍니다.

세 번째 사례로, 한 운동선수가 훈련에서 좋은 습관을 형성한 이야기를 들 수 있습니다. 이 운동선수는 매일 일정한 시간에 훈련을 시작하고, 규칙적으로 식사와 휴식을 취하는 습관을 형성했습니다. 그는 이 습관을 통해 체력과 기술을 향상시키고, 대회에서 우승하는 성과를 이뤘습니다. 이 사례는 좋은 습관이 스포츠 성과에 어떻게 기여하는지를 잘 보여줍니다.

네 번째 사례로, 한 작가가 글쓰기에서 좋은 습관을 형성한 이야기를 들 수 있습니다. 이 작가는 매일 아침 일정한 시간에 글을 쓰는 습관을 형성했습니다. 그는 이 습관을 통해 꾸준히 창작 활동을 이어가며, 결국 책을 성공적으로 출판할 수 있었습니다. 이 사례는 좋은 습관이 창작 활동에 중요한 역할을 한다는 것을 보여줍니다.

마지막 사례로, 한 사람이 체중 감량 목표를 달성하기 위해 좋은 습관을 형성한 이야기를 들 수 있습니다. 이 사람은 매일 30분씩 운동을 하고, 건강한 식단을 유지하는 습관을 형성했습니다. 그는 이 습관을 꾸준히 유지하여, 결국 원하는 체중을 달성할 수 있었습니다. 이 사례는 좋은 습관이 건강 목표 달성에 중요한 역할을 한다는 것을 보여줍니다.

3. 성공적인 습관 형성을 위한 전략

좋은 습관을 지속하는 방법

좋은 습관을 지속하기 위해서는 몇 가지 효과적인 전략을 활용할 수 있습니다. 첫 번째 전략은 작은 목표 설정입니다. 작은 목표를 설정하고 이를 지속적으로 달성함으로써 성취감을 느끼고, 큰 목표를 향해 나아갈 수 있습니다. 예를 들어, 매일 10분씩 명상을 하는 작은 목표를 설정하고, 이를 달성한 후 점차 시간을 늘려가는 것이 효과적입니다. 작은 목표는 성취감을 제공하고, 꾸준히 습관을 유지할 수 있게 합니다.

두 번째 전략은 일정한 루틴을 유지하는 것입니다. 매일 같은 시간에 같은 행동을 반복하면 습관 형성이 더 쉬워집니다. 예를 들어, 매일 아침 6시에 일어나 운동을 하는 습관을 들이는 것입니다. 일정한 루틴은 습관을 자동화하고, 이를 지속할 수 있게 만듭니다.

세 번째 전략은 시각적 도구를 활용하는 것입니다. 목표를 달력에 표시하거나, 체크리스트를 만들어 매일 성취 여부를 기록하는 것이 도움이 됩니다. 예를 들어, 운동 일지를 작성하여 매일 운동한 내용을 기록하고, 이를 확인하는 것입니다. 시각적 도구는 습관 형성의 진행 상황을 명확하게 보여주고, 동기부여를 유지하는 데 도움이 됩니다.

네 번째 전략은 사회적 지지와 피드백을 받는 것입니다. 가족, 친구, 동료와 목표를 공유하고, 그들의 지지와 피드백을 받으면 습관을 유지하는 데 큰 도움이 됩니다. 예를 들어, 친구와 함께 운동 목표를 설정하고, 서로의 진행 상황을 체크하며 격려하는 것입니다. 사회적 지지와 피드백은 습관 형성에 있어 중요한 지원 시스템을 제공합니다.

마지막 전략은 자기 보상 시스템을 활용하는 것입니다. 작은 목표를 달성할 때마다 자신에게 작은 보상을 주는 것이 효과적입니다. 예를 들어, 한 주 동안 꾸준히 운동을 했을 때 자신에게 좋아하는 영화를 보는 시간을 주는 것입니다. 자기 보상 시스템은 동기부여를 강화하고, 습관을 지속하는 데 중요한 역할을 합니다.

나쁜 습관을 교정하는 전략

나쁜 습관을 교정하기 위해서는 몇 가지 효과적인 전략을 사용할 수 있습니다. 첫 번째 전략은 나쁜 습관의 원인을 파악하는 것입니다. 나쁜 습관이 형성된 이유를 이해하고, 이를 해결하기 위한 구체적인 계획을 세우는 것이 필요합니다. 예를 들어, 스트레스로 인해 흡연을 시작한 사람은 스트레스를 관리할 수 있는 대체 방법을 찾아야 합니다. 나쁜 습관의 원인을 파악하고 해결하는 것은 교정의 첫 걸음입니다.

두 번째 전략은 대체 행동을 찾는 것입니다. 나쁜 습관을 대체할 수 있는 긍정적인 행동을 찾으면, 나쁜 습관을 극복하기가 더 쉬워집니다. 예를 들어, 흡연 대신 운동이나 명상을 하는 것이 도움이 될 수 있습니다. 대체 행동은 나쁜 습관을 건강한 행동으로 바꾸는 데 중요한 역할을 합니다.

세 번째 전략은 환경을 변화시키는 것입니다. 나쁜 습관을 유발하는 환경을 바꾸면, 습관을 교정하는 데 큰 도움이 됩니다. 예를 들어, 집에 있는 간식을 제거하여 과식을 예방하는 것입니다. 환경 변화는 나쁜 습관을 교정하는 데 중요한 역할을 합니다.

네 번째 전략은 지속적인 자기 평가와 피드백을 활용하는 것입니다. 주기적으로 자신의 행동을 평가하고, 필요한 경우 조정을 하는 것이 중요합니다. 예를 들어, 매주 자신의 진행 상황을 평가하고, 나쁜 습관을 줄이기 위한 구체적인 계획을 세우는 것입니다. 지속적인 자기 평가와 피드백은 나쁜 습관을 교정하는 데 중요한 역할을 합니다.

마지막 전략은 전문가의 도움을 받는 것입니다. 나쁜 습관이 심각한 경우, 전문가의 도움을 받는 것이 효과적일 수 있습니다.

예를 들어, 심리 상담사나 코치와 상담하여 나쁜 습관을 극복하기 위한 구체적인 방법을 찾는 것입니다. 전문가의 도움은 나쁜 습관을 교정하는 데 중요한 지원을 제공합니다.

실생활에서의 적용 사례

성공적인 습관 형성 전략을 실생활에서 적용한 사례는 많은 사람들에게 영감을 줄 수 있습니다. 첫 번째 사례로, 한 학생이 학업에서 나쁜 습관을 교정하고 좋은 습관을 형성한 이야기를 들 수 있습니다. 이 학생은 항상 늦게 자고 늦게 일어나는 나쁜 습관을 가지고 있었습니다. 그는 이 습관을 교정하기 위해 일찍 자고 일찍 일어나는 새로운 습관을 형성하기로 결심했습니다. 이를 위해 매일 밤 같은 시간에 잠자리에 들고, 아침에 일찍 일어나 운동을 하는 루틴을 만들었습니다. 또한, 목표를 달성할 때마다 자신에게 작은 보상을 주었습니다. 이러한 노력 덕분에 그는 아침 시간을 효율적으로 활용할 수 있었고, 학업 성과도 크게 향상되었습니다.

두 번째 사례로, 한 직장인이 직무에서 나쁜 습관을 교정하고 좋은 습관을 형성한 이야기를 들 수 있습니다. 이 직장인은 업무를 미루는 나쁜 습관을 가지고 있었습니다. 그는 이 습관을 교정하기 위해 업무를 작은 단위로 나누고, 각 단위를 완료할 때마다 자신에게 작은 보상을 주기로 했습니다. 또한, 매일 아침 일과를 계획하고, 가장 중요한 업무부터 처리하는 습관을 들였습니다. 이러한 노력 덕분에 그는 업무 효율성을 높이고, 프로젝트를 성공적으로 완료할 수 있었습니다.

세 번째 사례로, 한 운동선수가 훈련에서 나쁜 습관을 교정하고 좋은 습관을 형성한 이야기를 들 수 있습니다. 이 운동선수는 훈련을 미루는 나쁜 습관을 가지고 있었습니다. 그는 이 습관을 교정하기 위해 훈련 일정을 구체적으로 계획하고, 매일 같은 시간에 훈련을 시작하는 루틴을 만들었습니다. 또한, 매일 훈련을 완료한 후 자신에게 작은 보상을 주었습니다. 이러한 노력 덕분에 그는 꾸준히 훈련을 진행할 수 있었고, 경기 성적도 크게 향상되었습니다.

　네 번째 사례로, 한 작가가 글쓰기에서 나쁜 습관을 교정하고 좋은 습관을 형성한 이야기를 들 수 있습니다. 이 작가는 글쓰기를 미루는 나쁜 습관을 가지고 있었습니다. 그는 이 습관을 교정하기 위해 매일 일정한 시간에 글을 쓰기로 결심하고, 이를 달성할 때마다 자신에게 작은 보상을 주었습니다. 또한, 글쓰기를 방해하는 환경 요소를 제거하고, 집중할 수 있는 작업 공간을 만들었습니다. 이러한 노력 덕분에 그는 꾸준히 글을 쓸 수 있었고, 결국 책을 성공적으로 출판할 수 있었습니다.

　마지막 사례로, 한 사람이 체중 감량 목표를 달성하기 위해 나쁜 습관을 교정하고 좋은 습관을 형성한 이야기를 들 수 있습니다. 이 사람은 과식을 하는 나쁜 습관을 가지고 있었습니다. 그는 이 습관을 교정하기 위해 건강한 식단을 유지하고, 규칙적으로 운동하는 새로운 습관을 형성하기로 결심했습니다. 이를 위해 매일 식사 계획을 세우고, 운동 일지를 작성하여 자신의 진행 상황을 기록했습니다. 또한, 목표를 달성할 때마다 자신에게 작은 보상을 주었습니다. 이러한 노력 덕분에 그는 체중 감량 목표를 달성할 수 있었고, 전반적인 건강 상태도 크게 개선되었습니다.

제 6 장

실패와
좌절 극복

실패 극복과 목표 달성은 실패 분석, 긍정적 마인드셋, 행동 계획, 지지 시스템, 자기 돌봄이 필요합니다. 회복 탄력성은 긍정적 마인드셋, 목표 설정, 사회적 지지, 스트레스 관리, 건강한 생활 습관이 필요합니다. 이 전략들은 실패 극복과 목표 달성에 도움이 됩니다.

1. 실패의 가치와 교훈

실패의 중요성

실패는 삶의 중요한 부분이며, 성공의 필수적인 요소입니다. 첫 번째 이유는 실패가 학습과 성장을 촉진하기 때문입니다. 실패는 자신의 약점과 부족한 점을 명확히 인식하게 해주며, 이를 개선하기 위한 기회를 제공합니다. 예를 들어, 시험에서 낮은 점수를 받은 학생은 자신의 공부 방법과 태도를 재평가하고, 더 나은 방법을 찾아내어 성적을 향상시킬 수 있습니다. 실패는 학습과 성장을 위한 중요한 기회를 제공합니다.

두 번째 이유는 실패가 회복 탄력성을 강화하기 때문입니다. 실패를 경험하고 이를 극복하는 과정에서 개인은 정신적, 감정적으로 더 강해집니다. 예를 들어, 사업 실패를 경험한 기업가는 이를 통해 더 나은 전략과 관리 방법을 배울 수 있습니다. 이러한 경험은 미래의 도전에 대한 대비를 강화하고, 어려움을 극복하는 능력을 향상시킵니다. 실패는 회복 탄력성을 강화하는 중요한 요소입니다.

세 번째 이유는 실패가 창의성과 혁신을 촉진하기 때문입니다. 실패는 새로운 접근 방식과 해결책을 모색하게 만듭니다. 예를 들어, 기술 개발 과정에서의 실패는 문제를 새로운 시각으로 바라보고, 창의적인 해결책을 찾아내는 계기가 됩니다. 많은 혁신적인 발명과 발견은 수많은 실패 끝에 이루어졌습니다. 실패는 창의성과 혁신을 촉진하는 중요한 원동력입니다.

네 번째 이유는 실패가 겸손과 인내심을 배우게 하기 때문입니다. 실패는 자신의 한계를 인정하고, 이를 극복하기 위해 노력하는 과정을 통해 겸손과 인내심을 가르칩니다. 예를 들어, 운동 선수가 경기에서 패배한 후 더 열심히 훈련하고, 자신을 객관적으로 평가하는 태도를 배우는 것입니다. 실패는 겸손과 인내심을 배우는 중요한 경험입니다.

마지막으로, 실패는 성공의 기준과 목표를 재설정하는 데 도움을 줍니다. 실패를 통해 자신의 목표와 전략을 재평가하고, 더 현실적이고 달성 가능한 목표를 설정할 수 있습니다. 예를 들어, 사업 실패를 경험한 기업가는 초기 목표를 조정하고, 더 구체적이고 현실적인 계획을 세울 수 있습니다. 실패는 성공의 기준과 목표를 재설정하는 중요한 역할을 합니다.

실패에서 배우는 방법

실패에서 배우기 위해서는 몇 가지 효과적인 전략을 사용할 수 있습니다. 첫 번째 전략은 실패를 받아들이고, 이를 학습의 기회로 인식하는 것입니다. 실패를 두려워하거나 부정적으로만 바라보지 말고, 이를 통해 얻을 수 있는 교훈과 경험을 찾아야 합니다. 예를 들어, 프로젝트 실패를 경험한 팀은 실패의 원인을 분석하고, 이를 개선하기 위한 구체적인 계획을 세울 수 있습니다. 실패를 학습의 기회로 인식하는 것은 중요한 첫 걸음입니다.

두 번째 전략은 실패의 원인을 분석하고, 구체적인 개선 방안을 찾는 것입니다. 실패의 원인을 명확히 이해하고, 이를 바탕으로 구체적인 개선 방안을 마련하면, 같은 실수를 반복하지 않을 수 있습니다. 예를 들어, 시험에서 낮은 점수를 받은 학생은 자신의 공부 방법을 분석하고, 더 효율적인 공부 전략을 찾아낼 수 있습니다. 실패의 원인을 분석하고 개선 방안을 찾는 것은 중요한 학습 과정입니다.

세 번째 전략은 피드백을 수용하고, 이를 바탕으로 행동을 수정하는 것입니다. 실패 후에는 주변 사람들로부터 피드백을 받아들이고, 이를 바탕으로 자신의 행동과 전략을 수정해야 합니다. 예를 들어, 직장에서 프로젝트 실패를 경험한 직원은 상사와 동료로부터 피드백을 받아 자신의 업무 방식을 개선할 수 있습니다. 피드백을 수용하고 행동을 수정하는 것은 실패에서 배우는 중요한 방법입니다.

네 번째 전략은 실패를 극복하기 위한 구체적인 행동 계획을 세우는 것입니다. 실패를 경험한 후에는 이를 극복하기 위한 구체적인 행동 계획을 세우고, 이를 실천해야 합니다. 예를 들어, 사업 실패를 경험한 기업가는 새로운 사업 계획을 세우고, 단계별로 이를 실행할 수 있습니다. 구체적인 행동 계획을 세우는 것은 실패를 극복하는 중요한 과정입니다.

마지막 전략은 긍정적인 마인드셋을 유지하는 것입니다. 실패 후에는 좌절하지 않고, 긍정적인 태도로 미래를 바라보는 것이 중요합니다. 실패를 성장과 발전의 기회로 인식하고, 이를 통해 더 나은 자신을 만들어가는 과정으로 받아들여야 합니다. 예를 들어, 스포츠 선수가 경기에서 패배한 후 이를 극복하기 위해 더 열심히 훈련하고, 다음 경기를 준비하는 것입니다. 긍정적인 마인드셋을 유지하는 것은 실패에서 배우는 중요한 요소입니다.

실패 극복 사례

실패를 극복하고 성공을 이룬 실생활 사례는 많은 사람들에게 영감을 줄 수 있습니다. 첫 번째 사례로, 한 기업가가 사업 실패를 극복한 이야기를 들 수 있습니다. 이 기업가는 첫 번째 사업에서 큰 실패를 경험했지만, 이를 통해 얻은 교훈을 바탕으로 두 번째 사업을 시작했습니다. 그는 이전의 실수를 반복하지 않기 위해 철저한 시장 조사를 하고, 더욱 현실적인 사업 계획을 세웠습니다. 그 결과, 두 번째 사업은 큰 성공을 거두었고, 그는 성공적인 기업가로 자리매김할 수 있었습니다.

두 번째 사례로, 한 학생이 학업에서 실패를 극복한 이야기를 들 수 있습니다. 이 학생은 중요한 시험에서 낮은 성적을 받아 큰 좌절을 겪었습니다. 그러나 그는 이를 극복하기 위해 공부 방법을 재평가하고, 더 효율적인 학습 전략을 찾기로 결심했습니다. 매일 일정 시간을 정해 공부하고, 주기적으로 자기 평가를 실시하며 부족한 부분을 보완했습니다. 그 결과, 그는 다음 시험에서 높은 성적을 받을 수 있었고, 학업에서 성공을 거두었습니다.

세 번째 사례로, 한 운동선수가 스포츠에서 실패를 극복한 이야기를 들 수 있습니다. 이 운동선수는 중요한 경기에서 패배한 후 큰 실망을 겪었습니다. 그러나 그는 이를 극복하기 위해 자신의 훈련 방식을 분석하고, 더 효과적인 훈련 프로그램을 개발했습니다. 매일 꾸준히 훈련에 임하고, 코치로부터 피드백을 받아 기술을 개선했습니다. 그 결과, 그는 다음 경기에서 우승을 차지할 수 있었고, 실패를 성공으로 바꿀 수 있었습니다.

네 번째 사례로, 한 작가가 출판에서 실패를 극복한 이야기를 들 수 있습니다. 이 작가는 첫 번째 책 출판이 실패로 끝난 후 큰 실망을 겪었습니다. 그러나 그는 이를 극복하기 위해 자신의 글쓰기 스타일을 재평가하고, 더 나은 글을 쓰기 위해 꾸준히 연습했습니다. 또한, 출판 전문가로부터 피드백을 받아 글의 질을 개선하고, 새로운 출판 기회를 모색했습니다. 그 결과, 두 번째 책은 큰 성공을 거두었고, 그는 성공적인 작가로 인정받을 수 있었습니다.

마지막 사례로, 한 사람이 체중 감량 목표에서 실패를 극복한 이야기를 들 수 있습니다. 이 사람은 여러 차례 체중 감량에 실패한 후 큰 좌절을 겪었습니다. 그러나 그는 이를 극복하기 위해 자신의 식습관과 운동 방식을 철저히 분석하고, 새로운 건강 계획을 세웠습니다. 매일 식단을 기록하고, 규칙적으로 운동하며 진행 상황을 모니터링했습니다. 그 결과, 그는 결국 체중 감량 목표를 달성할 수 있었고, 건강한 생활을 유지할 수 있었습니다. 이 사례는 실패를 극복하고 성공을 이루는 데 중요한 교훈을 제공합니다.

2. 실패를 극복하는 방법

실패를 극복하는 전략

실패를 극복하기 위해서는 몇 가지 효과적인 전략을 활용할 수 있습니다. 첫 번째 전략은 실패를 받아들이고, 이를 학습의 기회로 삼는 것입니다. 실패를 부정하거나 회피하기보다는 이를 인정하고, 실패를 통해 무엇을 배울 수 있는지를 고민해야 합니다. 예를 들어, 프로젝트 실패 후 원인을 분석하고, 이를 바탕으로 개선 방안을 찾는 것이 중요합니다. 실패를 학습의 기회로 삼는 것은 극복의 첫 걸음입니다.

두 번째 전략은 긍정적인 마인드셋을 유지하는 것입니다. 실패 후에는 쉽게 좌절할 수 있지만, 긍정적인 태도로 미래를 바라보는 것이 중요합니다. 실패를 성장과 발전의 기회로 인식하고, 이를 통해 더 나은 자신을 만들어가는 과정을 즐겨야 합니다. 예를 들어, 스포츠 선수가 경기에서 패배한 후 이를 극복하기 위해 더 열심히 훈련하고, 다음 경기를 준비하는 것입니다. 긍정적인 마인드셋은 실패를 극복하는 데 중요한 역할을 합니다.

세 번째 전략은 구체적인 행동 계획을 세우는 것입니다. 실패 후에는 이를 극복하기 위한 구체적인 행동 계획을 세우고, 이를 실천해야 합니다. 예를 들어, 시험에서 낮은 성적을 받은 학생은 새로운 공부 계획을 세우고, 매일 일정 시간을 정해 공부하는 것입니다. 구체적인 행동 계획은 실패를 극복하고 목표를 달성하는 데 중요한 역할을 합니다.

네 번째 전략은 지지 시스템을 활용하는 것입니다. 가족, 친구, 동료 등 주변 사람들의 지지와 격려는 실패를 극복하는 데 큰 도움이 됩니다. 예를 들어, 사업 실패를 경험한 기업가는 동료 기업가나 멘토의 조언을 받아 새로운 전략을 세울 수 있습니다. 지지 시스템은 심리적 지원과 실질적인 도움을 제공하는 중요한 요소입니다.

마지막 전략은 자기 돌봄과 회복을 위한 시간을 가지는 것입니다. 실패 후에는 심리적, 신체적으로 회복하기 위한 시간이 필요합니다. 충분한 휴식과 자기 돌봄을 통해 재충전하고, 새로운 도전을 준비해야 합니다. 예를 들어, 큰 프로젝트 실패 후 휴가를 떠나 휴식을 취하고, 돌아와서 새로운 계획을 세우는 것입니다. 자기 돌봄과 회복은 실패를 극복하는 데 중요한 역할을 합니다.

성공적인 극복 사례

　실패를 극복하고 성공을 이룬 실생활 사례는 많은 사람들에게 영감을 줄 수 있습니다. 첫 번째 사례로, 한 기업가가 사업 실패를 극복한 이야기를 들 수 있습니다. 이 기업가는 첫 번째 사업에서 큰 실패를 경험했지만, 이를 통해 얻은 교훈을 바탕으로 두 번째 사업을 시작했습니다. 그는 이전의 실수를 반복하지 않기 위해 철저한 시장 조사를 하고, 더욱 현실적인 사업 계획을 세웠습니다. 그 결과, 두 번째 사업은 큰 성공을 거두었고, 그는 성공적인 기업가로 자리매김할 수 있었습니다.

　두 번째 사례로, 한 학생이 학업에서 실패를 극복한 이야기를 들 수 있습니다. 이 학생은 중요한 시험에서 낮은 성적을 받아 큰 좌절을 겪었습니다. 그러나 그는 이를 극복하기 위해 공부 방법을 재평가하고, 더 효율적인 학습 전략을 찾기로 결심했습니다. 매일 일정 시간을 정해 공부하고, 주기적으로 자기 평가를 실시하며 부족한 부분을 보완했습니다. 그 결과, 그는 다음 시험에서 높은 성적을 받을 수 있었고, 학업에서 성공을 거두었습니다.

　세 번째 사례로, 한 운동선수가 스포츠에서 실패를 극복한 이야기를 들 수 있습니다. 이 운동선수는 중요한 경기에서 패배한 후 큰 실망을 겪었습니다. 그러나 그는 이를 극복하기 위해 자신의 훈련 방식을 분석하고, 더 효과적인 훈련 프로그램을 개발했습니다. 매일 꾸준히 훈련에 임하고, 코치로부터 피드백을 받아 기술을 개선했습니다. 그 결과, 그는 다음 경기에서 우승을 차지할 수 있었고, 실패를 성공으로 바꿀 수 있었습니다.

네 번째 사례로, 한 작가가 출판에서 실패를 극복한 이야기를 들 수 있습니다. 이 작가는 첫 번째 책 출판이 실패로 끝난 후 큰 실망을 겪었습니다. 그러나 그는 이를 극복하기 위해 자신의 글쓰기 스타일을 재평가하고, 더 나은 글을 쓰기 위해 꾸준히 연습했습니다. 또한, 출판 전문가로부터 피드백을 받아 글의 질을 개선하고, 새로운 출판 기회를 모색했습니다. 그 결과, 두 번째 책은 큰 성공을 거두었고, 그는 성공적인 작가로 인정받을 수 있었습니다.

마지막 사례로, 한 사람이 체중 감량 목표에서 실패를 극복한 이야기를 들 수 있습니다. 이 사람은 여러 차례 체중 감량에 실패한 후 큰 좌절을 겪었습니다. 그러나 그는 이를 극복하기 위해 자신의 식습관과 운동 방식을 철저히 분석하고, 새로운 건강 계획을 세웠습니다. 매일 식단을 기록하고, 규칙적으로 운동하며 진행 상황을 모니터링했습니다. 그 결과, 그는 결국 체중 감량 목표를 달성할 수 있었고, 건강한 생활을 유지할 수 있었습니다. 이 사례는 실패를 극복하고 성공을 이루는 데 중요한 교훈을 제공합니다.

실생활 적용

실패를 극복하는 전략을 실생활에 적용하는 것은 매우 중요합니다. 첫 번째로, 실패를 분석하고 교훈을 얻는 과정을 일상에 적용할 수 있습니다. 예를 들어, 프로젝트 실패 후 팀과 함께 회고 미팅을 열어 실패의 원인을 분석하고, 이를 개선하기 위한 구체적인 방안을 도출하는 것입니다. 이러한 과정은 실생활에서 지속적인 개선과 성장을 가능하게 합니다.

두 번째로, 긍정적인 마인드셋을 유지하는 방법을 일상에 적용할 수 있습니다. 매일 아침 긍정적인 다짐을 하고, 실패를 두려워하지 않으며 도전에 임하는 태도를 가지는 것입니다. 예를 들어, 매일 아침 긍정적인 목표를 설정하고, 이를 달성하기 위해 최선을 다하는 것입니다. 긍정적인 마인드셋은 일상에서의 성공과 성장을 촉진합니다.

세 번째로, 구체적인 행동 계획을 세우는 방법을 실생활에 적용할 수 있습니다. 목표를 달성하기 위해 구체적이고 실현 가능한 계획을 세우고, 이를 실천하는 것입니다. 예를 들어, 건강한 생활을 위해 매일 일정한 시간에 운동하고, 식단을 계획하는 것입니다. 구체적인 행동 계획은 실생활에서 목표를 달성하는 데 중요한 역할을 합니다.

네 번째로, 지지 시스템을 활용하는 방법을 실생활에 적용할 수 있습니다. 주변 사람들과 목표를 공유하고, 그들의 지지와 피드백을 받는 것입니다. 예를 들어, 가족과 함께 건강 목표를 실정하고, 서로의 진행 상황을 체크하며 격려하는 것입니다. 지지 시스템은 실생활에서 목표를 달성하는 데 필요한 심리적 지원을 제공합니다.

마지막으로, 자기 돌봄과 회복을 위한 시간을 가지는 방법을 실생활에 적용할 수 있습니다. 충분한 휴식과 자기 돌봄을 통해 재충전하고, 새로운 도전에 임하는 것입니다. 예를 들어, 바쁜 일상 속에서 주기적으로 휴식을 취하고, 스트레스를 해소하기 위한 취미 활동을 하는 것입니다. 자기 돌봄과 회복은 실생활에서의 지속적인 성장을 가능하게 합니다.

이러한 전략들을 실생활에 적용하면, 실패를 극복하고 목표를 달성하는 데 큰 도움이 될 것입니다. 실패는 성공의 과정 중 하나이며, 이를 통해 배우고 성장하는 것이 중요합니다. 실생활에서 실패를 극복하는 다양한 방법을 활용하여, 더 나은 자신을 만들어 나가길 바랍니다.

3. 회복 탄력성 키우기

회복 탄력성의 정의와 중요성

회복 탄력성(Resilience)은 개인이 역경, 스트레스, 실패 등의 어려운 상황에 직면했을 때 이를 극복하고, 다시 일어설 수 있는 능력을 말합니다. 첫 번째 이유는 회복 탄력성이 개인의 정신적, 감정적 건강을 유지하는 데 필수적이기 때문입니다. 회복 탄력성이 높은 사람은 스트레스와 실패를 더 잘 관리하며, 감정적으로 안정된 상태를 유지할 수 있습니다. 예를 들어, 업무에서 큰 실수를 한 직장인이 회복 탄력성이 높다면, 이를 빨리 극복하고 업무에 다시 집중할 수 있습니다.

두 번째 이유는 회복 탄력성이 성과와 목표 달성에 중요한 역할을 하기 때문입니다. 어려움을 겪을 때 포기하지 않고 지속적으로 노력할 수 있는 능력이 성공적인 성과와 목표 달성에 기여합니다. 예를 들어, 스포츠 선수가 경기에서 패배한 후에도 훈련을 멈추지 않고 계속 노력하면, 결국 더 나은 성과를 낼 수 있습니다. 회복 탄력성은 성과와 목표 달성의 중요한 요소입니다.

세 번째 이유는 회복 탄력성이 인간관계를 유지하고 강화하는 데 도움을 주기 때문입니다. 어려운 상황에서도 긍정적인 태도로 다른 사람들과의 관계를 유지하는 능력은 개인의 사회적 지지를 강화하고, 더 나은 인간관계를 형성하는 데 기여합니다. 예를 들어, 가족 문제로 어려움을 겪고 있는 사람이 회복 탄력성이 높다면, 가족과의 관계를 긍정적으로 유지하며 문제를 해결할 수 있습니다. 회복 탄력성은 인간관계를 강화하는 중요한 요소입니다.

네 번째 이유는 회복 탄력성이 자기 효능감과 자기 존중감을 높이는 데 기여하기 때문입니다. 역경을 극복하고 다시 일어서는 경험은 개인의 자기 효능감과 자기 존중감을 향상시키며, 이는 더 나은 성과와 행복으로 이어집니다. 예를 들어, 창업 실패를 극복하고 다시 성공한 기업가는 자신에 대한 믿음과 존중이 강화됩니다. 회복 탄력성은 자기 효능감과 자기 존중감을 높이는 데 중요한 역할을 합니다.

마지막 이유는 회복 탄력성이 삶의 전반적인 질을 향상시키기 때문입니다. 회복 탄력성이 높은 사람은 어려운 상황에서도 긍정적으로 생활하며, 전반적인 삶의 만족도와 행복감이 높습니다. 예를 들어, 경제적 어려움을 극복하고 안정적인 삶을 유지하는 사람은 삶의 질이 높아집니다. 회복 탄력성은 삶의 질을 향상시키는 중요한 요소입니다.

회복 탄력성을 강화하는 방법

회복 탄력성을 강화하기 위해서는 몇 가지 효과적인 방법을 사용할 수 있습니다. 첫 번째 방법은 긍정적인 마인드셋을 유지하는 것입니다. 긍정적인 태도와 사고방식은 역경을 극복하고 회복하는 데 큰 도움이 됩니다. 예를 들어, 어려운 상황에서도 긍정적인 면을 찾고, 이를 통해 성장할 기회를 모색하는 것입니다. 긍정적인 마인드셋은 회복 탄력성을 강화하는 중요한 요소입니다.

두 번째 방법은 목표 설정과 계획 수립입니다. 명확한 목표를 설정하고 이를 달성하기 위한 구체적인 계획을 세우면, 어려운 상황에서도 집중력을 유지하고 목표를 향해 나아갈 수 있습니다. 예를 들어, 직장에서 실패를 경험한 후 새로운 목표를 설정하고, 이를 달성하기 위한 구체적인 계획을 세우는 것입니다. 목표 설정과 계획 수립은 회복 탄력성을 강화하는 중요한 방법입니다.

세 번째 방법은 사회적 지지 시스템을 구축하는 것입니다. 가족, 친구, 동료 등 주변 사람들의 지지와 격려는 회복 탄력성을 높이는 데 큰 도움이 됩니다. 예를 들어, 어려운 상황에서 주변 사람들에게 도움을 요청하고, 그들의 지지를 받는 것입니다. 사회적 지지 시스템은 회복 탄력성을 강화하는 중요한 요소입니다.

네 번째 방법은 스트레스 관리 기술을 배우는 것입니다. 명상, 요가, 심호흡 등 스트레스를 효과적으로 관리할 수 있는 기술을 배우고 이를 실천하면, 정신적, 감정적 안정을 유지할 수 있습니다. 예를 들어, 스트레스를 받을 때 명상을 통해 마음을 진정시키는 것입니다. 스트레스 관리 기술은 회복 탄력성을 강화하는 데 중요한 역할을 합니다.

마지막 방법은 자기 돌봄과 건강한 생활 습관을 유지하는 것입니다. 충분한 휴식, 균형 잡힌 식사, 규칙적인 운동 등 건강한 생활 습관은 신체적, 정신적 회복력을 높이는 데 필수적입니다.

예를 들어, 매일 일정 시간을 운동하고, 건강한 식단을 유지하는 것입니다. 자기 돌봄과 건강한 생활 습관은 회복 탄력성을 강화하는 중요한 방법입니다.

성공적인 회복 탄력성 사례

성공적으로 회복 탄력성을 발휘한 사례는 많은 사람들에게 영감을 줄 수 있습니다. 첫 번째 사례로, 한 기업가가 사업 실패를 극복한 이야기를 들 수 있습니다. 이 기업가는 첫 번째 사업에서 큰 실패를 경험했지만, 이를 통해 얻은 교훈을 바탕으로 두 번째 사업을 시작했습니다. 그는 이전의 실수를 반복하지 않기 위해 철저한 시장 조사를 하고, 더욱 현실적인 사업 계획을 세웠습니다. 그 결과, 두 번째 사업은 큰 성공을 거두었고, 그는 성공적인 기업가로 자리매김할 수 있었습니다.

두 번째 사례로, 한 학생이 학업에서 실패를 극복한 이야기를 들 수 있습니다. 이 학생은 중요한 시험에서 낮은 성적을 받아 큰 좌절을 겪었습니다. 그러나 그는 이를 극복하기 위해 공부 방법을 재평가하고, 더 효율적인 학습 전략을 찾기로 결심했습니다. 매일 일정 시간을 정해 공부하고, 주기적으로 자기 평가를 실시하며 부족한 부분을 보완했습니다. 그 결과, 그는 다음 시험에서 높은 성적을 받을 수 있었고, 학업에서 성공을 거두었습니다.

세 번째 사례로, 한 운동선수가 스포츠에서 실패를 극복한 이야기를 들 수 있습니다. 이 운동선수는 중요한 경기에서 패배한 후 큰 실망을 겪었습니다. 그러나 그는 이를 극복하기 위해 자신의 훈련 방식을 분석하고, 더 효과적인 훈련 프로그램을 개발했습니다.

매일 꾸준히 훈련에 임하고, 코치로부터 피드백을 받아 기술을 개선했습니다. 그 결과, 그는 다음 경기에서 우승을 차지할 수 있었고, 실패를 성공으로 바꿀 수 있었습니다.

네 번째 사례로, 한 작가가 출판에서 실패를 극복한 이야기를 들 수 있습니다. 이 작가는 첫 번째 책 출판이 실패로 끝난 후 큰 실망을 겪었습니다. 그러나 그는 이를 극복하기 위해 자신의 글쓰기 스타일을 재평가하고, 더 나은 글을 쓰기 위해 꾸준히 연습했습니다. 또한, 출판 전문가로부터 피드백을 받아 글의 질을 개선하고, 새로운 출판 기회를 모색했습니다. 그 결과, 두 번째 책은 큰 성공을 거두었고, 그는 성공적인 작가로 인정받을 수 있었습니다.

마지막 사례로, 한 사람이 체중 감량 목표에서 실패를 극복한 이야기를 들 수 있습니다. 이 사람은 여러 차례 체중 감량에 실패한 후 큰 좌절을 겪었습니다. 그러나 그는 이를 극복하기 위해 자신의 식습관과 운동 방식을 철저히 분석하고, 새로운 건강 계획을 세웠습니다. 매일 식단을 기록하고, 규칙적으로 운동하며 진행 상황을 모니터링했습니다. 그 결과, 그는 결국 체중 감량 목표를 달성할 수 있었고, 건강한 생활을 유지할 수 있었습니다. 이 사례는 회복 탄력성을 발휘하여 성공을 이룬 중요한 교훈을 제공합니다.

지금 이 순간을

'Day One'으로 삼아

꿈을 향해 나아가세요.

꾸준한 노력과 열정이 성공을 이끌 것입니다.

지금 아니면 언제? : 계획하기만 했던 하루를 시작하는 하루로 만들어요.

제 7 장　　**목표 달성을 위한**
　　　　　　실천 전략

효과적인 시간 관리는 균형 잡힌 삶을 가능하게 합니다. 이를 위해선 우선순위 설정, 시간 블록 기법 등을 활용하고, 에이젠하워 매트릭스와 Pareto 원칙으로 전략을 수립합니다. 계획하기는 목표 달성과 성장에 도움이 되며, 이는 SMART 목표 설정, 분할 기법, 일정 관리 도구 활용 등으로 이루어집니다.

1. SMART 목표 설정

SMART 목표 설정의 필요성

SMART 목표 설정은 목표를 구체적이고 명확하게 정의하여 달성 가능성을 높이는 전략입니다. 첫 번째 이유는 SMART 목표가 목표를 구체적으로 명확하게 정의하기 때문입니다. 목표가 구체적이고 명확할수록, 이를 달성하기 위한 구체적인 행동 계획을 세우기가 쉬워집니다. 예를 들어, "건강해지기"라는 목표보다는 "6개월 안에 체중을 5kg 감량하기"라는 구체적인 목표가 더 효과적입니다. SMART 목표 설정은 목표를 구체적으로 정의하는 데 중요한 역할을 합니다.

두 번째 이유는 SMART 목표가 목표 달성의 진척 상황을 측정 가능하게 하기 때문입니다. 목표가 측정 가능할 때, 진행 상황을 평가하고 필요한 조정을 할 수 있습니다. 예를 들어, "매일 30분씩 조깅하기"라는 목표는 매일 성취 여부를 측정할 수 있습니다. SMART 목표 설정은 목표 달성의 진척 상황을 평가하고 조정하는 데 중요한 역할을 합니다.

세 번째 이유는 SMART 목표가 달성 가능성을 높이기 때문입니다. 목표가 현실적이고 달성 가능할 때, 이를 달성하기 위한 동기부여가 강화됩니다. 예를 들어, "한 달에 10kg 감량하기"보다는 "한 달에 2kg 감량하기"라는 목표가 더 달성 가능하며, 지속적인 노력과 성취감을 제공합니다. SMART 목표 설정은 목표의 달성 가능성을 높이는 데 중요한 역할을 합니다.

네 번째 이유는 SMART 목표가 목표의 관련성을 유지하는 데 도움을 주기 때문입니다. 목표가 개인의 삶이나 업무와 관련성이 있을 때, 이를 달성하기 위한 동기부여가 높아집니다. 예를 들어, "직장에서의 생산성을 높이기 위해 매일 아침 30분씩 일찍 출근하기"라는 목표는 개인의 직무 성과와 직접적으로 관련이 있습니다. SMART 목표 설정은 목표의 관련성을 유지하는 데 중요한 역할을 합니다.

마지막 이유는 SMART 목표가 목표 달성의 시간 제한을 설정하여 집중력을 높이는 데 도움을 주기 때문입니다. 목표가 시간 제한이 있을 때, 이를 달성하기 위한 긴박감과 집중력이 강화됩니다. 예를 들어, "3개월 안에 프로젝트 완료하기"라는 목표는 구체적인 시간 제한을 설정하여 집중력을 높입니다. SMART 목표 설정은 목표 달성의 시간 제한을 설정하는 데 중요한 역할을 합니다.

SMART 목표 설정 방법

SMART 목표 설정 방법은 목표를 구체적인(Specific), 측정 가능한(Measurable), 달성 가능한(Achievable), 관련성 있는(Relevant), 시간 제한적인(Time-bound)으로 설정하는 것입니다. 첫 번째 단계는 구체적으로 목표를 설정하는 것입니다. 목표가 구체적일수록, 이를 달성하기 위한 구체적인 행동 계획을 세우기가 쉽습니다. 예를 들어, "건강해지기"라는 목표보다는 "6개월 안에 체중을 5kg 감량하기"라는 구체적인 목표를 설정하는 것입니다.

두 번째 단계는 목표를 측정 가능하게 설정하는 것입니다. 목표가 측정 가능할 때, 진행 상황을 평가하고 필요한 조정을 할 수 있습니다. 예를 들어, "매일 30분씩 조깅하기"라는 목표는 매일 성취 여부를 측정할 수 있습니다. 측정 가능한 목표를 설정하면 진행 상황을 명확하게 평가할 수 있습니다.

세 번째 단계는 목표를 달성 가능하게 설정하는 것입니다. 목표가 현실적이고 달성 가능할 때, 이를 달성하기 위한 동기부여가 강화됩니다. 예를 들어, "한 달에 10kg 감량하기"보다는 "한 달에 2kg 감량하기"라는 목표가 더 달성 가능하며, 지속적인 노력과 성취감을 제공합니다. 달성 가능한 목표를 설정하면 목표 달성의 가능성을 높일 수 있습니다.

네 번째 단계는 목표를 관련성 있게 설정하는 것입니다. 목표가 개인의 삶이나 업무와 관련성이 있을 때, 이를 달성하기 위한 동기부여가 높아집니다. 예를 들어, "직장에서의 생산성을 높이기 위해 매일 아침 30분씩 일찍 출근하기"라는 목표는 개인의 직무 성과와 직접적으로 관련이 있습니다. 관련성 있는 목표를 설정하면 목표 달성의 중요성을 높일 수 있습니다.

마지막 단계는 목표에 시간 제한을 설정하는 것입니다. 목표가 시간 제한이 있을 때, 이를 달성하기 위한 긴박감과 집중력이 강화됩니다. 예를 들어, "3개월 안에 프로젝트 완료하기"라는 목표는 구체적인 시간 제한을 설정하여 집중력을 높입니다. 시간 제한을 설정하면 목표 달성의 긴박감을 유지할 수 있습니다.

SMART 목표 설정 사례

SMART 목표 설정의 성공적인 사례는 많은 사람들에게 영감을 줄 수 있습니다. 첫 번째 사례로, 한 학생이 학업에서 SMART 목표를 설정한 이야기를 들 수 있습니다. 이 학생은 "이번 학기 평균 성적을 3.5 이상으로 유지하기"라는 SMART 목표를 설정했습니다. 그는 매일 일정 시간을 공부하고, 주기적으로 자기 평가를 실시하며 부족한 부분을 보완했습니다. 그 결과, 그는 목표를 달성하고 학업에서 큰 성과를 거둘 수 있었습니다.

두 번째 사례로, 한 직장인이 직무에서 SMART 목표를 설정한 이야기를 들 수 있습니다. 이 직장인은 "3개월 안에 프로젝트를 완료하고, 고객 만족도를 90% 이상으로 유지하기"라는 SMART 목표를 설정했습니다. 그는 매일 프로젝트 진행 상황을 점검하고, 필요한 조치를 취하며, 고객 피드백을 주기적으로 확인했습니다. 그 결과, 그는 목표를 달성하고 직무에서 큰 성과를 거둘 수 있었습니다.

세 번째 사례로, 한 운동선수가 훈련에서 SMART 목표를 설정한 이야기를 들 수 있습니다. 이 운동선수는 "6개월 안에 5km를 20분 안에 달리는 기록을 세우기"라는 SMART 목표를 설정했습니다. 그는 매일 훈련 일정을 세우고, 주기적으로 기록을 점검하며, 필요한 조치를 취했습니다. 그 결과, 그는 목표를 달성하고 운동 성과를 크게 향상시킬 수 있었습니다.

네 번째 사례로, 한 작가가 글쓰기에서 SMART 목표를 설정한 이야기를 들 수 있습니다. 이 작가는 "3개월 안에 50,000자 분량의 소설을 완성하기"라는 SMART 목표를 설정했습니다. 그는 매일 일정 시간을 글쓰기에 할애하고, 주기적으로 글의 진행 상황을 점검하며, 필요한 조치를 취했습니다. 그 결과, 그는 목표를 달성하고 책을 성공적으로 출판할 수 있었습니다.

마지막 사례로, 한 사람이 체중 감량 목표에서 SMART 목표를 설정한 이야기를 들 수 있습니다. 이 사람은 "6개월 안에 체중을 10kg 감량하기"라는 SMART 목표를 설정했습니다. 그는 매일 식단을 기록하고, 규칙적으로 운동하며 진행 상황을 모니터링했습니다. 그 결과, 그는 목표를 달성하고 건강한 생활을 유지할 수 있었습니다. 이 사례는 SMART 목표 설정의 중요성과 효과를 잘 보여줍니다.

2. 시간 관리와 우선순위 설정

시간 관리의 중요성

시간 관리는 개인의 생산성, 효율성, 스트레스 관리에 있어 핵심적인 요소입니다. 첫 번째 이유는 시간 관리가 목표 달성을 위한 필수적인 도구이기 때문입니다. 효과적인 시간 관리를 통해 중요한 업무와 활동에 집중할 수 있으며, 이를 통해 목표를 효율적으로 달성할 수 있습니다. 예를 들어, 직장에서 중요한 프로젝트를 기한 내에 완료하기 위해 시간을 잘 관리하는 것은 필수적입니다.

두 번째 이유는 시간 관리가 스트레스 감소에 기여하기 때문입니다. 시간을 잘 관리하면 업무나 일상 생활에서 과부하를 줄일 수 있으며, 이는 스트레스 수준을 낮추는 데 도움이 됩니다. 예를 들어, 모든 일을 마감 직전에 몰아서 하지 않고, 계획적으로 시간을 분배하면 스트레스가 줄어듭니다. 시간 관리는 스트레스 관리에 중요한 역할을 합니다.

세 번째 이유는 시간 관리가 생산성과 효율성을 향상시키기 때문입니다. 시간을 효과적으로 사용하면 더 많은 일을 더 짧은 시간에 할 수 있으며, 이는 생산성과 효율성을 높이는 데 도움이 됩니다. 예를 들어, 집중이 필요한 중요한 업무를 방해 없이 수행할 수 있는 시간을 확보하면 업무의 질과 속도가 향상됩니다. 시간 관리는 생산성과 효율성을 높이는 중요한 도구입니다.

네 번째 이유는 시간 관리가 균형 잡힌 삶을 유지하는 데 도움을 주기 때문입니다. 시간을 잘 관리하면 일과 생활 사이의 균형을 유지할 수 있으며, 이는 전반적인 삶의 질을 향상시킵니다. 예를 들어, 업무 시간을 잘 관리하여 가족과의 시간을 확보하면 삶의 만족도가 높아집니다. 시간 관리는 균형 잡힌 삶을 유지하는 데 중요한 요소입니다.

마지막으로, 시간 관리는 자기계발과 성장을 가능하게 하기 때문입니다. 시간을 효과적으로 관리하면 자기계발과 성장에 필요한 시간을 확보할 수 있으며, 이는 개인의 발전에 큰 도움이 됩니다. 예를 들어, 학습과 자기계발을 위한 시간을 계획적으로 확보하면 더 많은 지식과 기술을 습득할 수 있습니다. 시간 관리는 자기계발과 성장을 촉진하는 중요한 도구입니다.

효과적인 시간 관리 방법

효과적인 시간 관리를 위해서는 몇 가지 전략을 활용할 수 있습니다. 첫 번째 전략은 우선순위 설정입니다. 중요하고 긴급한 일을 먼저 처리하고, 덜 중요한 일은 나중으로 미루는 것입니다. 이를 위해 에이젠하워 매트릭스를 활용할 수 있습니다. 예를 들어, "중요하고 긴급한 일"과 "중요하지만 긴급하지 않은 일"을 구분하여 계획을 세우는 것입니다. 우선순위 설정은 시간 관리의 핵심입니다.

두 번째 전략은 시간 블록 기법입니다. 특정 시간 블록을 특정 활동에 할당하여 집중적으로 업무를 처리하는 것입니다. 예를 들어, 오전 9시부터 11시까지는 이메일 확인과 답장을 하는 시간으로 정하고, 그 시간 동안 다른 활동은 하지 않는 것입니다. 시간 블록 기법은 집중력과 효율성을 높이는 데 도움이 됩니다.

세 번째 전략은 To-Do 리스트 작성입니다. 하루의 할 일을 미리 작성하고, 이를 계획적으로 수행하는 것입니다. 예를 들어, 아침에 오늘의 할 일을 리스트로 작성하고, 하나씩 체크해가며 완료하는 것입니다. To-Do 리스트 작성은 일의 체계적 관리와 목표 달성에 도움이 됩니다.

네 번째 전략은 Pomodoro 기법입니다. 25분 동안 집중해서 일하고, 5분간 휴식하는 방식으로 시간을 관리하는 것입니다. 예를 들어, 25분 동안 집중해서 일을 하고, 알람이 울리면 5분간 휴식을 취하는 것입니다. Pomodoro 기법은 집중력을 높이고, 지루함을 줄이는 데 도움이 됩니다.

마지막 전략은 디지털 도구 활용입니다. 다양한 시간 관리 앱과 도구를 사용하여 일정을 관리하고, 중요한 일을 추적할 수 있습니다. 예를 들어, Google Calendar, Trello, Todoist 등의 도구를 활용하여 일정을 관리하고, 할 일을 체계적으로 정리하는 것입니다. 디지털 도구는 시간 관리를 효율적으로 돕는 중요한 도구입니다.

우선순위 설정 전략

우선순위 설정은 목표 달성과 시간 관리의 중요한 요소입니다. 첫 번째 전략은 에이젠하워 매트릭스를 활용하는 것입니다. 이 매트릭스는 업무를 네 가지로 분류합니다: 중요하고 긴급한 일, 중요하지만 긴급하지 않은 일, 긴급하지만 중요하지 않은 일, 긴급하지도 중요하지도 않은 일. 예를 들어, 중요한 프로젝트 기한이 다가오는 경우, 이를 "중요하고 긴급한 일"로 분류하여 최우선으로 처리하는 것입니다. 에이젠하워 매트릭스는 업무의 우선순위를 명확히 설정하는 데 도움이 됩니다.

두 번째 전략은 Pareto 원칙(80/20 법칙)을 활용하는 것입니다. 이 원칙에 따르면, 결과의 80%는 원인의 20%에서 비롯됩니다. 즉, 중요한 소수의 업무가 대부분의 성과를 가져온다는 의미입니다. 예를 들어, 전체 업무 중 가장 큰 영향을 미치는 20%의 업무를 식별하고, 이를 최우선으로 처리하는 것입니다. Pareto 원칙은 업무의 핵심 부분에 집중하게 하는 데 유용합니다.

세 번째 전략은 ABC 분석법을 활용하는 것입니다. 업무를 중요도에 따라 A, B, C 세 그룹으로 분류하는 방법입니다. A 그룹은 가장 중요한 업무, B 그룹은 중요하지만 덜 긴급한 업무, C 그룹은 중요도와 긴급도가 낮은 업무로 분류됩니다. 예를 들어, 중요한 보고서를 작성하는 일이 A 그룹에 속한다면, 이를 최우선으로 처리하고 나머지 업무는 그 다음에 처리하는 것입니다. ABC 분석법은 업무의 우선순위를 체계적으로 정하는 데 도움이 됩니다.

네 번째 전략은 데일리 리플렉션을 활용하는 것입니다. 매일 업무를 시작하기 전에, 그날의 최우선 과제를 정하고 이를 집중적으로 처리하는 것입니다. 예를 들어, 하루를 시작하기 전에 오늘 반드시 완료해야 할 가장 중요한 업무를 정하고, 이를 최우선으로 처리하는 것입니다. 데일리 리플렉션은 업무의 우선순위를 명확히 하고, 집중력을 높이는 데 유용합니다.

마지막 전략은 업무의 결과를 시각화하는 것입니다. 각 업무의 결과를 시각화하여 중요도를 평가하고, 이에 따라 우선순위를 설정하는 것입니다. 예를 들어, 프로젝트의 결과가 회사 전체에 큰 영향을 미친다면, 이를 최우선으로 처리하고 시각적으로 확인할 수 있도록 계획을 세우는 것입니다. 시각화는 업무의 중요도를 명확히 하고, 우선순위를 설정하는 데 도움이 됩니다.

이러한 시간 관리와 우선순위 설정 전략들을 활용하면, 목표를 효율적으로 달성하고 생산성을 높일 수 있습니다. 효과적인 시간 관리와 우선순위 설정은 성공적인 목표 달성의 필수 요소입니다.

3. 실천 가능한 계획 수립

계획 수립의 필요성

계획 수립은 목표를 달성하기 위한 중요한 과정입니다. 첫 번째 이유는 명확한 방향 설정을 통해 목표를 체계적으로 달성할 수 있기 때문입니다. 계획을 세우면 어떤 단계와 과정을 통해 목표를 달성할 수 있는지 명확히 알 수 있습니다. 예를 들어, 새로운 사업을 시작하려는 사람은 사업 계획을 통해 목표를 구체적으로 설정하고, 각 단계를 체계적으로 실행할 수 있습니다. 계획 수립은 명확한 방향을 제시하여 목표 달성에 도움을 줍니다.

두 번째 이유는 효율적인 시간 관리를 가능하게 하기 때문입니다. 계획을 세우면 어떤 일을 언제 해야 하는지 명확해져서 시간을 효율적으로 사용할 수 있습니다. 예를 들어, 일일 업무 계획을 세우면 중요한 업무를 우선적으로 처리하고, 시간을 효율적으로 배분할 수 있습니다. 계획 수립은 시간 관리를 개선하여 목표 달성의 효율성을 높입니다.

세 번째 이유는 스트레스 감소에 기여하기 때문입니다. 계획을 세우면 할 일을 체계적으로 정리할 수 있어, 무엇을 먼저 해야 할지 혼란스럽지 않게 됩니다. 예를 들어, 프로젝트 계획을 세우면 각 단계별로 해야 할 일이 명확해져 스트레스가 줄어듭니다. 계획 수립은 스트레스를 줄이고 정신적 부담을 경감시킵니다.

네 번째 이유는 성과 평가와 피드백을 가능하게 하기 때문입니다. 계획을 세우면 목표 달성 여부를 주기적으로 평가하고, 필요한 경우 계획을 수정할 수 있습니다. 예를 들어, 매주 학습 계획을 세우고 주기적으로 학습 성과를 평가하면, 필요에 따라 계획을 조정할 수 있습니다. 계획 수립은 성과 평가와 피드백을 통해 지속적인 개선을 가능하게 합니다.

마지막 이유는 자기 계발과 성장을 촉진하기 때문입니다. 계획을 통해 목표를 달성하면 성취감을 느끼고, 이는 자기 효능감과 자기 존중감을 높이는 데 기여합니다. 예를 들어, 운동 계획을 세우고 이를 달성하면 신체적 건강과 함께 정신적 성취감을 얻을 수 있습니다. 계획 수립은 자기 계발과 성장을 촉진하는 중요한 도구입니다.

효과적인 계획 수립 방법

효과적인 계획을 수립하기 위해서는 몇 가지 전략을 사용할 수 있습니다. 첫 번째 전략은 SMART 목표 설정을 활용하는 것입니다. 목표를 구체적인(Specific), 측정 가능한(Measurable), 달성 가능한(Achievable), 관련성 있는(Relevant), 시간 제한적인(Time-bound)으로 설정하여 계획을 세우는 것입니다. 예를 들어, "3개월 안에 체중을 5kg 감량하기"라는 SMART 목표를 설정하는 것입니다. SMART 목표 설정은 계획 수립의 첫 단계로, 목표를 명확하고 구체적으로 설정하는 데 도움을 줍니다.

두 번째 전략은 작은 단위로 쪼개기입니다. 큰 목표를 작은 단위로 나누어 각 단계를 구체적으로 계획하는 것입니다. 예를 들어, 책을 쓰는 목표를 세운다면, 이를 각 장별로 나누고, 각 장을 다시 소단위로 나누어 계획을 세우는 것입니다. 작은 단위로 쪼개기 전략은 목표를 단계별로 쉽게 달성할 수 있게 합니다.

세 번째 전략은 우선순위 설정입니다. 중요한 일을 먼저 처리하고, 덜 중요한 일은 나중으로 미루는 것입니다. 에이젠하워 매트릭스를 활용하여 중요하고 긴급한 일을 우선적으로 처리할 수 있습니다. 예를 들어, 프로젝트 계획에서 가장 중요한 업무를 먼저 수행하고, 덜 중요한 업무는 후순위로 설정하는 것입니다. 우선순위 설정은 효율적인 시간 관리를 가능하게 합니다.

네 번째 전략은 일정 관리 도구 활용입니다. 디지털 도구나 캘린더를 사용하여 일정을 관리하고, 중요한 일정을 미리 계획하는 것입니다. 예를 들어, Google Calendar나 Todoist 같은 도구를 사용하여 일정을 관리하고, 중요한 일을 체크리스트로 작성하여 관리하는 것입니다. 일정 관리 도구는 계획을 체계적으로 관리하는 데 도움이 됩니다.

마지막 전략은 정기적인 평가와 피드백입니다. 계획을 실행하면서 주기적으로 성과를 평가하고, 필요에 따라 계획을 수정하는 것입니다. 예를 들어, 주간 계획을 세우고 매주 말 성과를 평가하여 다음 주 계획에 반영하는 것입니다. 정기적인 평가와 피드백은 계획의 효과성을 높이고, 지속적인 개선을 가능하게 합니다.

실생활에서의 계획 수립 사례

실생활에서 성공적으로 계획을 수립한 사례는 많은 사람들에게 영감을 줄 수 있습니다. 첫 번째 사례로, 한 학생이 학업에서 계획을 수립한 이야기를 들 수 있습니다. 이 학생은 학기 초에 과목별로 학습 계획을 세우고, 주별로 공부할 내용을 정리했습니다. 또한, 매일 일정 시간을 공부하고, 주기적으로 성과를 평가하여 부족한 부분을 보완했습니다. 그 결과, 그는 목표한 성적을 달성할 수 있었습니다.

두 번째 사례로, 한 직장인이 직무에서 계획을 수립한 이야기를 들 수 있습니다. 이 직장인은 프로젝트를 효율적으로 관리하기 위해 프로젝트 계획을 세우고, 각 단계를 구체적으로 나누었습니다. 그는 중요한 업무를 우선적으로 처리하고, 팀원들과 주기적으로 회의를 통해 진행 상황을 점검했습니다. 그 결과, 프로젝트를 성공적으로 완료할 수 있었습니다.

세 번째 사례로, 한 운동선수가 훈련에서 계획을 수립한 이야기를 들 수 있습니다. 이 운동선수는 대회를 준비하기 위해 훈련 계획을 세우고, 매일 일정한 시간에 훈련을 했습니다. 그는 주기적으로 성과를 평가하고, 훈련 방법을 개선했습니다. 그 결과, 대회에서 좋은 성과를 거둘 수 있었습니다.

네 번째 사례로, 한 작가가 글쓰기에서 계획을 수립한 이야기를 들 수 있습니다. 이 작가는 책을 쓰기 위해 매일 일정한 시간에 글을 쓰기로 계획을 세웠습니다. 그는 매일 2시간씩 글을 쓰고, 주기적으로 글의 진행 상황을 점검했습니다. 그 결과, 책을 성공적으로 완성하고 출판할 수 있었습니다.

마지막 사례로, 한 사람이 체중 감량 목표를 달성하기 위해 계획을 수립한 이야기를 들 수 있습니다. 이 사람은 체중 감량을 위해 식단과 운동 계획을 세우고, 매일 이를 실천했습니다. 그는 주기적으로 체중 변화를 기록하고, 계획을 조정했습니다. 그 결과, 체중 감량 목표를 성공적으로 달성할 수 있었습니다. 이 사례는 계획 수립이 목표 달성에 얼마나 중요한 역할을 하는지를 잘 보여줍니다.

제8장   성공 사례 분석

일반인의 성공 사례에서 배운 전략을 통해 목표를 달성하고 성공적인 삶을 이룰 수 있습니다. 이러한 전략에는 SMART 목표 설정, 시간 관리, 우선순위 설정, 자기 평가, 긍정적인 마인드셋 유지, 그리고 지지 시스템 활용이 포함됩니다. 이들을 활용하면 목표를 달성하고 성공적인 삶을 이룰 수 있습니다.

1. 유명인들의 동기부여 사례

유명인의 동기부여 이야기

유명인들의 동기부여 이야기는 많은 사람들에게 영감을 줄 수 있습니다. 첫 번째 사례로, 애플의 공동 창업자인 스티브 잡스를 들 수 있습니다. 스티브 잡스는 애플에서 해고된 후, 넥스트(NeXT)와 픽사(Pixar)를 창업하여 다시 성공을 일구어냈습니다. 그의 이야기는 실패와 좌절을 극복하고, 새로운 도전을 통해 성공을 이루는 데 큰 영감을 줍니다. 그는 "항상 갈망하라, 바보처럼 살아라(Stay hungry, stay foolish)"라는 유명한 말을 통해 끊임없는 열정과 배움을 강조했습니다.

두 번째 사례로, 테니스 선수 세레나 윌리엄스를 들 수 있습니다. 세레나 윌리엄스는 어린 시절부터 많은 어려움과 인종 차별을 겪었지만, 끊임없는 노력과 열정으로 세계 최고의 테니스 선수로 성장했습니다. 그녀의 이야기는 인내와 끈기, 그리고 불굴의 의지로 목표를 달성하는 데 큰 영감을 줍니다. 세레나 윌리엄스는 "나는 항상 내가 할 수 없는 것을 꿈꿉니다. 그러면 결국 할 수 있게 되니까요"라고 말하며 도전의 중요성을 강조했습니다.

세 번째 사례로, 영국의 정치가이자 제2차 세계 대전을 이끈 윈스턴 처칠을 들 수 있습니다. 처칠은 여러 차례 선거에서 패배하고 정치적 좌절을 겪었지만, 끊임없는 노력과 리더십으로 결국 영국을 이끌게 되었습니다. 그의 이야기는 실패를 두려워하지 않고 끊임없이 도전하는 정신을 보여줍니다. 처칠은 "성공이란 영원한 것이 아니며, 실패 역시 치명적이지 않다. 중요한 것은 계속 도전하는 용기다"라고 말하며 끈기의 중요성을 강조했습니다.

네 번째 사례로, 오프라 윈프리의 이야기를 들 수 있습니다. 오프라는 가난한 환경에서 자라나 여러 어려움을 겪었지만, 결국 세계적으로 유명한 방송인이자 기업가로 성공했습니다. 그녀의 이야기는 자기 계발과 열정, 그리고 긍정적인 마인드셋이 얼마나 중요한지를 보여줍니다. 오프라는 "당신의 인생에서 가장 큰 모험은 당신이 진정으로 원하는 것을 사는 것이다"라고 말하며 진정한 자기 계발의 중요성을 강조했습니다.

마지막 사례로, 마이크로소프트의 창업자인 빌 게이츠를 들 수 있습니다. 빌 게이츠는 하버드 대학교를 중퇴하고 마이크로소프트를 창업하여 세계적인 IT 기업으로 성장시켰습니다. 그의 이야기는 창의성과 혁신, 그리고 끊임없는 학습과 열정이 성공에 얼마나 중요한지를 보여줍니다. 빌 게이츠는 "성공은 훌륭한 선생님이다. 그것은 똑똑한 사람들에게 결코 지지 않을 것 같은 착각을 불러일으킨다"라고 말하며 끊임없는 학습의 중요성을 강조했습니다.

성공 비결 분석

유명인들의 성공 비결을 분석해 보면 몇 가지 공통된 요소를 찾을 수 있습니다. 첫 번째 요소는 열정과 헌신입니다. 모든 유명인들은 자신이 하는 일에 대한 강한 열정과 헌신을 가지고 있었습니다. 스티브 잡스의 기술 혁신에 대한 열정, 세레나 윌리엄스의 테니스에 대한 헌신, 오프라 윈프리의 방송에 대한 열정 등은 모두 이들의 성공을 가능하게 했습니다. 열정과 헌신은 목표를 달성하는 데 중요한 동력입니다.

두 번째 요소는 불굴의 의지와 끈기입니다. 이들은 모두 실패와 좌절을 겪었지만, 포기하지 않고 계속 도전했습니다. 윈스턴 처칠의 정치적 실패, 세레나 윌리엄스의 인종 차별과 어려움, 빌 게이츠의 학업 중단 등은 모두 그들이 겪은 어려움이었지만, 이들은 끊임없이 도전하여 결국 성공을 이뤄냈습니다. 불굴의 의지와 끈기는 성공을 위한 필수적인 요소입니다.

세 번째 요소는 끊임없는 학습과 자기 계발입니다. 성공한 유명인들은 항상 배우고 성장하려는 태도를 가지고 있었습니다. 빌 게이츠의 끊임없는 학습, 오프라 윈프리의 자기 계발, 스티브 잡스의 혁신에 대한 갈망 등은 모두 이들이 끊임없이 배우고 성장하려는 태도를 보여줍니다. 학습과 자기 계발은 성공을 지속적으로 유지하는 데 중요한 역할을 합니다.

네 번째 요소는 긍정적인 마인드셋입니다. 성공한 유명인들은 어려움 속에서도 긍정적인 태도를 유지하며, 이를 통해 역경을 극복했습니다. 오프라 윈프리의 긍정적인 자기 계발 태도, 세레나 윌리엄스의 도전 정신, 윈스턴 처칠의 끈기 있는 리더십 등은 모두 긍정적인 마인드셋을 보여줍니다. 긍정적인 마인드셋은 어려움을 극복하고 성공을 이루는 데 중요한 역할을 합니다.

마지막 요소는 목표 설정과 계획 수립입니다. 성공한 유명인들은 명확한 목표를 설정하고, 이를 달성하기 위한 구체적인 계획을 세웠습니다. 스티브 잡스의 애플 혁신 계획, 빌 게이츠의 마이크로소프트 성장 전략, 세레나 윌리엄스의 훈련 계획 등은 모두 목표 설정과 계획 수립의 중요성을 보여줍니다. 목표 설정과 계획 수립은 성공을 이루는 데 필수적인 과정입니다.

실생활 적용

유명인들의 동기부여 이야기와 성공 비결을 실생활에 적용하면, 목표를 달성하고 성공적인 삶을 살 수 있습니다. 첫 번째로, 자신의 열정과 관심사를 찾는 것이 중요합니다. 스티브 잡스, 세레나 윌리엄스, 오프라 윈프리 등 유명인들은 모두 자신이 진정으로 열정과 관심을 가진 분야에서 성공을 이루었습니다. 자신의 열정을 찾고, 이를 통해 목표를 설정하는 것이 중요합니다.

두 번째로, 불굴의 의지와 끈기를 유지하는 것입니다. 실패와 좌절을 겪더라도 포기하지 않고 계속 도전하는 자세가 필요합니다. 윈스턴 처칠의 이야기를 통해 불굴의 의지를 배우고, 어떤 어려움에도 굴하지 않고 끈기 있게 목표를 추구해야 합니다. 이는 성공을 이루는 데 중요한 요소입니다.

세 번째로, 끊임없는 학습과 자기 계발에 투자하는 것입니다. 빌 게이츠와 오프라 윈프리처럼 항상 배우고 성장하려는 자세를 유지해야 합니다. 새로운 지식과 기술을 습득하고, 이를 통해 자신을 발전시키는 것이 중요합니다. 이는 장기적인 성공을 위해 필수적인 요소입니다.

네 번째로, 긍정적인 마인드셋을 유지하는 것입니다. 어려움 속에서도 긍정적인 태도를 유지하며, 이를 통해 역경을 극복하는 자세가 필요합니다. 세레나 윌리엄스와 오프라 윈프리의 이야기를 통해 긍정적인 마인드셋의 중요성을 배우고, 이를 실생활에 적용해야 합니다. 긍정적인 마인드셋은 어려움을 극복하고 목표를 달성하는 데 큰 도움이 됩니다.

마지막으로, 명확한 목표를 설정하고 구체적인 계획을 세우는 것입니다. 목표를 명확하게 설정하고, 이를 달성하기 위한 구체적인 계획을 세워야 합니다. 스티브 잡스와 빌 게이츠의 이야기를 통해 목표 설정과 계획 수립의 중요성을 배우고, 이를 실생활에 적용해야 합니다. 명확한 목표와 구체적인 계획은 성공을 이루는 데 필수적인 과정입니다.

이러한 전략들을 실생활에 적용하면, 유명인들의 성공 비결을 활용하여 자신도 목표를 달성하고 성공적인 삶을 살 수 있습니다. 유명인들의 동기부여 이야기는 많은 사람들에게 영감을 주며, 이를 통해 자신의 삶을 변화시키는 데 큰 도움이 됩니다.

2. 일상 생활에서의 성공 사례

일반인의 성공 이야기

일반인의 성공 이야기는 우리에게 더 큰 공감과 동기부여를 줄 수 있습니다. 첫 번째 사례로, 한 직장인이 업무 효율성을 높여 승진한 이야기를 들 수 있습니다. 이 직장인은 업무에서 효율성을 높이기 위해 시간 관리와 우선순위 설정을 철저히 하기로 결심했습니다. 그는 매일 아침 중요한 업무를 먼저 처리하고, 방해 요소를 최소화하며 집중력을 유지했습니다. 주기적인 자기 평가와 피드백을 통해 지속적으로 개선해 나갔습니다. 그 결과, 그는 업무 성과를 인정받아 빠르게 승진할 수 있었습니다.

두 번째 사례로, 한 대학생이 학업과 아르바이트를 병행하며 높은 성적을 유지한 이야기를 들 수 있습니다. 이 학생은 시간 관리를 철저히 하여 학업과 아르바이트 사이의 균형을 유지했습니다. 그는 학습 목표를 SMART 방식으로 설정하고, 학습 계획을 세워 꾸준히 실천했습니다. 또한, 스트레스를 관리하기 위해 주기적으로 운동과 명상을 하며 정신적, 신체적 건강을 유지했습니다. 그 결과, 그는 학업 성적을 유지하며 동시에 경제적인 자립도 이루어냈습니다.

세 번째 사례로, 한 부모가 가족과의 시간을 효율적으로 관리하여 자녀와의 관계를 개선한 이야기를 들 수 있습니다. 이 부모는 바쁜 직장 생활 속에서도 가족과의 시간을 중요시 여겼습니다. 그는 매주 가족과 함께하는 시간을 계획하고, 주말마다 가족 활동을 함께하며 관계를 강화했습니다. 또한, 가족 구성원들과의 소통을 중요시하여 주기적으로 대화 시간을 가졌습니다. 그 결과, 그는 자녀와의 관계를 개선하고 가족의 화목을 유지할 수 있었습니다.

네 번째 사례로, 한 자영업자가 사업 실패 후 재도전하여 성공한 이야기를 들 수 있습니다. 이 자영업자는 첫 번째 사업 실패 후 원인을 분석하고, 이를 바탕으로 새로운 사업 계획을 세웠습니다. 그는 시장 조사를 철저히 하고, 고객의 요구에 맞춘 제품과 서비스를 개발했습니다. 또한, 재정 관리를 강화하여 안정적인 재정 상태를 유지했습니다. 그 결과, 그는 두 번째 사업에서 큰 성공을 거두었습니다.

마지막 사례로, 한 사람이 건강한 생활 습관을 형성하여 체중 감량에 성공한 이야기를 들 수 있습니다. 이 사람은 건강을 위해 체중 감량을 결심하고, 식습관과 운동 계획을 철저히 세웠습니다. 그는 매일 건강한 식단을 유지하고, 규칙적으로 운동을 실천했습니다. 또한, 목표 달성을 위해 자기 보상 시스템을 도입하여 동기부여를 유지했습니다. 그 결과, 그는 체중 감량 목표를 달성하고 전반적인 건강 상태를 크게 개선할 수 있었습니다.

성공 전략 분석

일반인의 성공 사례에서 몇 가지 공통된 성공 전략을 분석할 수 있습니다. 첫 번째 전략은 SMART 목표 설정입니다. 모든 사례에서 목표를 구체적인(Specific), 측정 가능한(Measurable), 달성 가능한(Achievable), 관련성 있는(Relevant), 시간 제한적인(Time-bound)으로 설정하여 달성할 수 있었습니다. 예를 들어, 체중 감량을 목표로 한 사람은 "6개월 안에 체중을 10kg 감량하기"라는 SMART 목표를 설정했습니다. SMART 목표 설정은 목표 달성을 위한 중요한 전략입니다.

두 번째 전략은 시간 관리와 우선순위 설정입니다. 직장인이 승진하기 위해, 대학생이 학업과 아르바이트를 병행하기 위해, 부모가 가족과의 시간을 효율적으로 관리하기 위해 시간 관리와 우선순위 설정을 철저히 했습니다. 이를 통해 중요한 일을 먼저 처리하고, 불필요한 시간 낭비를 줄일 수 있었습니다. 시간 관리와 우선순위 설정은 목표 달성의 핵심 전략입니다.

세 번째 전략은 지속적인 자기 평가와 피드백입니다. 모든 사례에서 주기적으로 자신의 성과를 평가하고, 필요한 경우 계획을 수정하여 더 나은 결과를 얻을 수 있었습니다. 예를 들어, 자영업자가 사업 실패 후 원인을 분석하고, 새로운 사업 계획을 세워 성공한 것입니다. 자기 평가와 피드백은 지속적인 개선과 성공을 위한 필수적인 전략입니다.

네 번째 전략은 긍정적인 마인드셋과 동기부여 유지입니다. 건강한 생활 습관을 형성한 사람은 자기 보상 시스템을 도입하여 지속적인 동기부여를 유지했습니다. 대학생은 스트레스를 관리하기 위해 주기적으로 운동과 명상을 했습니다. 긍정적인 마인드셋과 동기부여 유지는 어려움을 극복하고 목표를 달성하는 데 중요한 역할을 합니다.

마지막 전략은 지지 시스템 활용입니다. 가족과의 관계를 개선한 부모는 가족 구성원들과의 소통을 중요시하고, 주기적으로 대화 시간을 가졌습니다. 자영업자는 재도전 시 주변의 조언과 지원을 받아 성공할 수 있었습니다. 지지 시스템은 목표 달성과 성공을 위한 중요한 지원 요소입니다.

실생활 적용

일반인의 성공 사례에서 배운 성공 전략을 실생활에 적용하면, 목표를 달성하고 성공적인 삶을 살 수 있습니다. 첫 번째로, SMART 목표 설정을 생활에 적용하는 것입니다. 구체적이고 측정 가능하며, 달성 가능하고 관련성 있으며 시간 제한이 있는 목표를 설정하여 달성할 수 있습니다. 예를 들어, "6개월 안에 영어 회화 실력을 중급 수준으로 향상시키기"라는 SMART 목표를 설정하는 것입니다.

두 번째로, 시간 관리와 우선순위 설정을 생활에 적용하는 것입니다. 중요한 일을 먼저 처리하고, 불필요한 시간 낭비를 줄이는 습관을 들이는 것입니다. 예를 들어, 매일 아침 중요한 업무를 먼저 처리하고, 방해 요소를 최소화하며 집중력을 유지하는 것입니다. 시간 관리와 우선순위 설정은 생활의 효율성을 높이는 데 도움이 됩니다.

세 번째로, 지속적인 자기 평가와 피드백을 생활에 적용하는 것입니다. 주기적으로 자신의 성과를 평가하고, 필요한 경우 계획을 수정하여 더 나은 결과를 얻을 수 있습니다. 예를 들어, 주간 계획을 세우고 매주 말 성과를 평가하여 다음 주 계획에 반영하는 것입니다. 자기 평가와 피드백은 지속적인 개선과 성공을 위한 필수적인 과정입니다.

네 번째로, 긍정적인 마인드셋과 동기부여 유지 방법을 생활에 적용하는 것입니다. 어려움을 극복하고 목표를 달성하기 위해 긍정적인 태도를 유지하며, 자기 보상 시스템을 도입하여 동기부여를 유지하는 것입니다. 예를 들어, 작은 목표를 달성할 때마다 자신에게 작은 보상을 주는 것입니다. 긍정적인 마인드셋과 동기부여 유지는 목표 달성에 큰 도움이 됩니다.

마지막으로, 지지 시스템을 활용하는 것입니다. 가족, 친구, 동료 등 주변 사람들의 지지와 격려를 받아 목표를 달성할 수 있습니다. 예를 들어, 새로운 도전을 할 때 주변 사람들에게 목표를 공유하고, 그들의 지지를 받는 것입니다. 지지 시스템은 목표 달성과 성공을 위한 중요한 지원 요소입니다.

이러한 전략들을 실생활에 적용하면, 일반인의 성공 사례에서 배운 교훈을 통해 자신의 목표를 달성하고 성공적인 삶을 살 수 있습니다. 일반인의 동기부여 이야기와 성공 전략은 많은 사람들에게 실질적인 동기부여와 실천 방법을 제공할 수 있습니다.

3. 실천 가능한 조언과 팁

성공을 위한 조언

성공을 위해서는 몇 가지 중요한 조언을 따르는 것이 도움이 됩니다. 첫 번째 조언은 명확한 목표 설정입니다. 목표가 명확할수록 이를 달성하기 위한 계획을 세우기가 쉽고, 동기부여를 유지할 수 있습니다. 예를 들어, "3개월 안에 새로운 기술을 배우기"라는 구체적인 목표를 설정하는 것입니다. 명확한 목표는 성공의 첫 걸음입니다.

두 번째 조언은 계획 수립과 실행입니다. 목표를 설정한 후에는 이를 달성하기 위한 구체적인 계획을 세우고, 계획을 실행해야 합니다. 예를 들어, 학습 목표를 달성하기 위해 매일 1시간씩 공부하는 계획을 세우고 이를 실천하는 것입니다. 계획 수립과 실행은 목표 달성을 위한 필수적인 단계입니다.

세 번째 조언은 끈기와 인내입니다. 목표를 달성하는 과정에서 어려움과 좌절을 겪을 수 있지만, 포기하지 않고 끈기 있게 노력하는 자세가 중요합니다. 예를 들어, 운동 목표를 달성하기 위해 매일 꾸준히 운동을 실천하는 것입니다. 끈기와 인내는 성공을 위한 중요한 요소입니다.

네 번째 조언은 자기 평가와 피드백입니다. 주기적으로 자신의 진행 상황을 평가하고, 필요한 경우 계획을 수정하여 더 나은 결과를 얻을 수 있습니다. 예를 들어, 매주 자신의 목표 달성 여부를 평가하고, 필요한 경우 학습 방법을 조정하는 것입니다. 자기 평가와 피드백은 지속적인 개선과 성공을 위한 필수적인 과정입니다.

마지막 조언은 긍정적인 마인드셋 유지입니다. 어려움 속에서도 긍정적인 태도를 유지하며, 이를 통해 역경을 극복하는 자세가 필요합니다. 예를 들어, 실패를 두려워하지 않고, 이를 통해 배우고 성장하는 기회로 삼는 것입니다. 긍정적인 마인드셋은 성공을 이루는 데 중요한 역할을 합니다.

실천 가능한 팁

성공을 위해 실천할 수 있는 몇 가지 팁을 제시합니다. 첫 번째 팁은 To-Do 리스트 작성입니다. 하루의 할 일을 미리 작성하고, 이를 계획적으로 수행하는 것입니다. 예를 들어, 아침에 오늘의 할 일을 리스트로 작성하고, 하나씩 체크해가며 완료하는 것입니다. To-Do 리스트 작성은 일의 체계적 관리와 목표 달성에 도움이 됩니다.

두 번째 팁은 시간 블록 기법 활용입니다. 특정 시간 블록을 특정 활동에 할당하여 집중적으로 업무를 처리하는 것입니다. 예를 들어, 오전 9시부터 11시까지는 이메일 확인과 답장을 하는 시간으로 정하고, 그 시간 동안 다른 활동은 하지 않는 것입니다. 시간 블록 기법은 집중력과 효율성을 높이는 데 도움이 됩니다.

세 번째 팁은 Pomodoro 기법 활용입니다. 25분 동안 집중해서 일하고, 5분간 휴식하는 방식으로 시간을 관리하는 것입니다. 예를 들어, 25분 동안 집중해서 일을 하고, 알람이 울리면 5분간 휴식을 취하는 것입니다. Pomodoro 기법은 집중력을 높이고, 지루함을 줄이는 데 도움이 됩니다.

네 번째 팁은 디지털 도구 활용입니다. 다양한 시간 관리 앱과 도구를 사용하여 일정을 관리하고, 중요한 일을 추적할 수 있습니다. 예를 들어, Google Calendar, Trello, Todoist 등의 도구를 활용하여 일정을 관리하고, 할 일을 체계적으로 정리하는 것입니다. 디지털 도구는 시간 관리를 효율적으로 돕는 중요한 도구입니다.

마지막 팁은 자기 보상 시스템 도입입니다. 작은 목표를 달성할 때마다 자신에게 작은 보상을 주는 것이 효과적입니다. 예를 들어, 한 주 동안 꾸준히 운동을 했을 때 자신에게 좋아하는 영화를 보는 시간을 주는 것입니다. 자기 보상 시스템은 동기부여를 강화하고, 목표 달성을 지속하는 데 중요한 역할을 합니다.

성공 전략 적용 사례

실천 가능한 조언과 팁을 적용한 성공 사례는 많은 사람들에게 영감을 줄 수 있습니다. 첫 번째 사례로, 한 직장인이 시간 블록 기법과 Pomodoro 기법을 활용하여 업무 효율성을 높인 이야기를 들 수 있습니다. 이 직장인은 매일 오전 시간을 중요한 업무에 할당하고, Pomodoro 기법을 활용하여 집중력을 유지했습니다. 또한, To-Do 리스트를 작성하여 하루의 업무를 체계적으로 관리했습니다. 그 결과, 그는 업무 효율성을 크게 높이고, 상사로부터 높은 평가를 받을 수 있었습니다.

두 번째 사례로, 한 학생이 디지털 도구와 자기 보상 시스템을 활용하여 학업 성취를 이룬 이야기를 들 수 있습니다. 이 학생은 Google Calendar를 사용하여 학습 일정을 관리하고, Todoist를 사용하여 할 일을 체계적으로 정리했습니다. 또한, 작은 학습 목표를 달성할 때마다 자신에게 작은 보상을 주어 동기부여를 유지했습니다. 그 결과, 그는 학업 성적을 크게 향상시킬 수 있었습니다.

세 번째 사례로, 한 부모가 To-Do 리스트와 시간 블록 기법을 활용하여 가족과의 시간을 효율적으로 관리한 이야기를 들 수 있습니다. 이 부모는 매주 가족과 함께하는 시간을 계획하고, 주말마다 가족 활동을 함께하며 관계를 강화했습니다. 또한, 가족 구성원들과의 소통을 중요시하여 주기적으로 대화 시간을 가졌습니다. 그 결과, 그는 자녀와의 관계를 개선하고 가족의 화목을 유지할 수 있었습니다.

네 번째 사례로, 한 자영업자가 디지털 도구와 Pomodoro 기법을 활용하여 사업 성공을 이룬 이야기를 들 수 있습니다. 이 자영업자는 Trello를 사용하여 프로젝트를 관리하고, Pomodoro 기법을 활용하여 집중력을 유지했습니다. 또한, 주기적으로 성과를 평가하고 필요한 경우 계획을 수정했습니다. 그 결과, 그는 사업에서 큰 성과를 거둘 수 있었습니다.

마지막 사례로, 한 사람이 To-Do 리스트와 자기 보상 시스템을 도입하여 체중 감량에 성공한 이야기를 들 수 있습니다. 이 사람은 체중 감량을 위해 매일 할 일을 리스트로 작성하고, 이를 계획적으로 수행했습니다. 또한, 작은 목표를 달성할 때마다 자신에게 작은 보상을 주어 동기부여를 유지했습니다. 그 결과, 그는 체중 감량 목표를 달성하고 건강한 생활을 유지할 수 있었습니다.

이러한 사례들은 실천 가능한 조언과 팁을 통해 어떻게 성공을 이룰 수 있는지를 잘 보여줍니다. 각자의 상황에 맞게 조언과 팁을 적용하여 목표를 달성하고 성공적인 삶을 살 수 있습니다. 실천 가능한 조언과 팁은 성공을 이루는 데 큰 도움이 됩니다.

지금 이 순간을

'Day One'으로 삼아

꿈을 향해 나아가세요.

꾸준한 노력과 열정이 성공을 이끌 것입니다.

제 9 장

삶의 목적
발견

삶의 목표 설정과 이를 실행하는 것은 성장, 행복, 사회적 연결 등에 중요합니다. 이는 목표 설정, 계획 수립, 자기평가, 긍정적 사고 및 지원 시스템을 통해 실현되며, 이는 깊은 만족감과 성취감을 제공하며 삶의 의미를 증진시킵니다.

1. 자기 인식과 성찰

자기 인식의 중요성

자기 인식은 자신의 감정, 생각, 행동을 명확히 이해하고 인식하는 능력입니다. 첫 번째 이유는 자기 인식이 개인의 성장과 발전에 필수적이기 때문입니다. 자신의 강점과 약점을 명확히 이해할 때, 이를 바탕으로 자신을 개선하고 발전시킬 수 있습니다. 예를 들어, 자신이 어떤 상황에서 스트레스를 받는지 인식하면, 스트레스 관리 전략을 효과적으로 적용할 수 있습니다. 자기 인식은 성장과 발전을 위한 첫 걸음입니다.

두 번째 이유는 자기 인식이 목표 설정과 성취를 돕기 때문입니다. 자신의 가치와 목표를 명확히 인식하면, 더 구체적이고 현실적인 목표를 설정할 수 있습니다. 예를 들어, 자신의 장기적인 목표와 단기적인 목표를 명확히 이해하고, 이를 바탕으로 계획을 세울 수 있습니다. 자기 인식은 목표 설정과 성취에 중요한 역할을 합니다.

세 번째 이유는 자기 인식이 인간관계를 개선하기 때문입니다. 자신의 감정과 행동을 인식하면, 타인과의 상호작용에서 더 긍정적인 결과를 얻을 수 있습니다. 예를 들어, 자신이 화를 내는 원인을 이해하고, 이를 관리하는 방법을 배우면, 갈등 상황에서도 차분하게 대처할 수 있습니다. 자기 인식은 인간관계를 개선하는 데 중요한 요소입니다.

네 번째 이유는 자기 인식이 의사결정을 돕기 때문입니다. 자신의 가치와 우선순위를 명확히 이해하면, 더 현명하고 일관성 있는 의사결정을 내릴 수 있습니다. 예를 들어, 자신의 가치와 일치하는 선택을 하여 장기적으로 만족스러운 결과를 얻을 수 있습니다. 자기 인식은 의사결정의 질을 높이는 데 기여합니다.

마지막으로, 자기 인식은 심리적 건강을 유지하는 데 도움이 됩니다. 자신의 감정과 생각을 인식하고 이해하면, 스트레스와 불안을 효과적으로 관리할 수 있습니다. 예를 들어, 자신이 우울감을 느끼는 원인을 이해하고, 이를 해결하기 위한 방법을 찾는 것입니다. 자기 인식은 심리적 건강을 유지하는 데 중요한 역할을 합니다.

성찰 방법

성찰은 자기 인식을 높이는 데 필수적인 과정입니다. 첫 번째 방법은 일기 쓰기입니다. 일기를 쓰면 자신의 생각과 감정을 글로 표현하고, 이를 통해 자신을 더 잘 이해할 수 있습니다. 예를 들어, 매일 밤 그날의 경험과 감정을 일기에 기록하는 것입니다. 일기 쓰기는 자기 인식을 높이는 효과적인 방법입니다.

두 번째 방법은 명상과 마음챙김입니다. 명상과 마음챙김을 통해 현재의 순간에 집중하고, 자신의 감정과 생각을 명확히 인식할 수 있습니다. 예를 들어, 매일 10분씩 명상을 하며 자신의 호흡과 감정에 집중하는 것입니다. 명상과 마음챙김은 자기 인식을 높이는 데 도움이 됩니다.

세 번째 방법은 정기적인 자기 평가입니다. 주기적으로 자신의 목표와 성과를 평가하고, 이를 바탕으로 자신을 개선하는 것입니다. 예를 들어, 매주 말 자신의 성과를 평가하고, 다음 주의 목표를 설정하는 것입니다. 자기 평가는 자기 인식을 높이고 성장을 촉진하는 데 중요한 역할을 합니다.

네 번째 방법은 피드백 받기입니다. 다른 사람의 피드백을 통해 자신의 행동과 영향을 더 잘 이해할 수 있습니다. 예를 들어, 동료나 친구에게 자신의 행동에 대한 피드백을 요청하는 것입니다. 피드백 받기는 자기 인식을 높이고 인간관계를 개선하는 데 도움이 됩니다.

마지막 방법은 심리 상담과 코칭입니다. 전문가의 도움을 받아 자신의 감정과 행동을 깊이 이해하고, 개선 방법을 찾는 것입니다. 예를 들어, 정기적으로 심리 상담을 받거나, 코치와 함께 목표를 설정하고 성취하는 방법을 배우는 것입니다. 심리 상담과 코칭은 자기 인식을 높이는 데 효과적인 방법입니다.

자기 인식과 성찰 사례

자기 인식과 성찰을 통해 큰 변화를 이룬 사례는 많은 사람들에게 영감을 줄 수 있습니다. 첫 번째 사례로, 한 직장인이 자기 인식을 통해 직무 스트레스를 관리한 이야기를 들 수 있습니다. 이 직장인은 업무에서 큰 스트레스를 느끼고 있었지만, 일기를 쓰고 명상을 통해 자신의 감정을 인식하게 되었습니다. 그는 자신이 스트레스를 받는 상황과 원인을 이해하고, 이를 관리하기 위한 전략을 찾았습니다. 그 결과, 그는 스트레스를 효과적으로 관리하고 직무 성과를 향상시킬 수 있었습니다.

두 번째 사례로, 한 대학생이 자기 평가와 피드백을 통해 학업 성취를 이룬 이야기를 들 수 있습니다. 이 학생은 매주 자신의 학습 성과를 평가하고, 교수와 친구들로부터 피드백을 받았습니다. 그는 자신의 학습 방법과 전략을 지속적으로 개선하였고, 그 결과 학업 성적을 크게 향상시킬 수 있었습니다. 자기 평가와 피드백은 그의 학업 성취에 중요한 역할을 했습니다.

세 번째 사례로, 한 부모가 자기 인식과 성찰을 통해 가족 관계를 개선한 이야기를 들 수 있습니다. 이 부모는 정기적으로 가족과의 대화를 통해 자신의 감정과 행동을 성찰하였습니다. 또한, 가족 구성원들로부터 피드백을 받아 자신의 행동을 개선하였습니다. 그 결과, 그는 자녀와의 관계를 개선하고 가족의 화목을 유지할 수 있었습니다.

네 번째 사례로, 한 운동선수가 명상과 마음챙김을 통해 성과를 향상시킨 이야기를 들 수 있습니다. 이 운동선수는 매일 명상을 통해 자신의 감정과 생각을 인식하고, 이를 통해 경기에서의 집중력을 높였습니다. 그는 경기 중에도 마음챙김을 실천하여 최고 성과를 낼 수 있었습니다. 명상과 마음챙김은 그의 운동 성과를 향상시키는 데 중요한 역할을 했습니다.

마지막 사례로, 한 기업가가 심리 상담과 코칭을 통해 사업 성과를 개선한 이야기를 들 수 있습니다. 이 기업가는 심리 상담을 통해 자신의 감정과 행동을 깊이 이해하고, 이를 바탕으로 사업 전략을 개선하였습니다. 또한, 코칭을 통해 목표를 명확히 설정하고, 이를 달성하기 위한 구체적인 계획을 세웠습니다. 그 결과, 그는 사업에서 큰 성과를 거둘 수 있었습니다. 심리 상담과 코칭은 그의 사업 성공에 중요한 역할을 했습니다.

이러한 사례들은 자기 인식과 성찰이 개인의 성장과 발전, 그리고 목표 달성에 얼마나 중요한 역할을 하는지를 잘 보여줍니다. 자기 인식과 성찰을 통해 자신의 강점과 약점을 명확히 이해하고, 이를 바탕으로 자신을 지속적으로 개선할 수 있습니다. 자기 인식과 성찰은 성공적인 삶을 위한 필수적인 과정입니다.

2. 삶의 목적 설정

삶의 목적의 필요성

삶의 목적을 설정하는 것은 개인의 삶을 의미 있고 충만하게 만드는 중요한 과정입니다. 첫 번째 이유는 삶의 방향성을 제공하기 때문입니다. 명확한 목적을 가지고 있으면 어떤 선택과 결정을 할 때 지침이 되며, 이를 통해 일관되고 의미 있는 삶을 살 수 있습니다. 예를 들어, 자신의 삶의 목적이 '타인에게 봉사하는 것'이라면, 직업 선택이나 일상적인 결정에서 이러한 목적을 고려하게 됩니다. 삶의 목적은 개인에게 명확한 방향성을 제공합니다.

두 번째 이유는 동기부여와 열정을 유지하기 때문입니다. 삶의 목적이 명확할 때, 어려움과 좌절을 겪을 때도 계속해서 나아갈 수 있는 힘이 됩니다. 예를 들어, 의료인이 '사람들의 건강을 증진시키는 것'을 삶의 목적으로 삼는다면, 힘든 상황에서도 이를 통해 동기부여를 유지하고 열정을 잃지 않을 수 있습니다. 삶의 목적은 지속적인 동기부여와 열정을 유지하는 데 중요합니다.

세 번째 이유는 자기 성찰과 성장을 촉진하기 때문입니다. 삶의 목적을 설정하면, 자신의 행동과 선택을 주기적으로 돌아보고, 이를 통해 성장할 수 있는 기회를 갖게 됩니다. 예를 들어, 교육자가 '학생들의 성장을 돕는 것'을 삶의 목적으로 삼으면, 자신의 교육 방식을 지속적으로 평가하고 개선할 수 있습니다. 삶의 목적은 자기 성찰과 성장을 촉진합니다.

네 번째 이유는 삶의 만족도와 행복을 높이기 때문입니다. 목적이 있는 삶은 더 큰 만족감과 행복감을 제공합니다. 명확한 삶의 목적을 가지고 이를 향해 나아갈 때, 개인은 더 큰 성취감을 느끼게 됩니다. 예를 들어, 예술가가 '사람들에게 감동을 주는 예술 작품을 만드는 것'을 삶의 목적으로 삼으면, 작품을 완성할 때마다 큰 만족감을 느낄 수 있습니다. 삶의 목적은 삶의 만족도와 행복을 높이는 데 중요한 역할을 합니다.

마지막으로, 삶의 목적은 사회적 유대감을 강화합니다. 명확한 목적을 가지고 이를 실천할 때, 다른 사람들과의 관계에서 더 큰 의미를 찾을 수 있습니다. 예를 들어, 환경운동가가 '지구 환경을 보호하는 것'을 삶의 목적으로 삼으면, 같은 목적을 가진 사람들과 강한 유대감을 형성할 수 있습니다. 삶의 목적은 사회적 유대감을 강화합니다.

목적 설정 방법

삶의 목적을 설정하는 데에는 몇 가지 효과적인 방법이 있습니다. 첫 번째 방법은 자신의 가치와 열정을 탐구하는 것입니다. 무엇이 자신에게 가장 중요한지, 무엇을 할 때 가장 큰 만족감을 느끼는지를 깊이 생각해보는 것입니다. 예를 들어, 자신이 가장 소중히 여기는 가치를 목록으로 작성하고, 이와 관련된 열정을 찾는 것입니다. 자신의 가치와 열정을 탐구하는 것은 삶의 목적 설정의 첫 걸음입니다.

두 번째 방법은 장기적 목표를 설정하는 것입니다. 5년, 10년 후 자신이 이루고 싶은 목표를 설정하고, 이를 바탕으로 삶의 목적을 명확히 하는 것입니다. 예를 들어, 10년 후에 자신이 어떤 위치에 있고 싶은지, 어떤 일을 하고 싶은지를 구체적으로 생각해보는 것입니다. 장기적 목표 설정은 삶의 목적을 명확히 하는 데 도움이 됩니다.

세 번째 방법은 과거의 경험을 되돌아보는 것입니다. 과거에 자신이 가장 큰 성취감을 느꼈던 경험이나 가장 어려웠던 경험을 돌아보며, 이를 통해 무엇이 자신에게 중요한지를 파악하는 것입니다. 예를 들어, 과거에 성공적으로 완료한 프로젝트나 극복한 어려움을 떠올리며, 이를 통해 자신의 목적을 발견하는 것입니다. 과거의 경험을 되돌아보는 것은 삶의 목적을 설정하는 데 유용한 방법입니다.

네 번째 방법은 명상과 성찰을 통한 내면 탐구입니다. 정기적으로 명상을 하거나 성찰의 시간을 가지며, 자신의 내면 깊숙이 무엇이 중요한지를 탐구하는 것입니다. 예를 들어, 매일 아침 명상을 통해 자신의 감정과 생각을 정리하고, 이를 통해 삶의 목적을 발견하는 것입니다. 명상과 성찰은 내면 탐구를 통해 삶의 목적을 설정하는 데 도움이 됩니다.

마지막 방법은 다른 사람들의 피드백을 받는 것입니다. 가족, 친구, 동료 등 주변 사람들에게 자신의 강점과 가치에 대해 물어보고,

이를 통해 삶의 목적을 명확히 하는 것입니다. 예를 들어, 가까운 친구에게 자신이 가장 잘하는 일이 무엇인지, 어떤 가치를 중요하게 여기는지 물어보는 것입니다. 다른 사람들의 피드백은 자신을 객관적으로 이해하는 데 도움이 됩니다.

목적 설정 사례

삶의 목적을 설정한 사람들의 사례는 많은 이들에게 영감을 줄 수 있습니다. 첫 번째 사례로, 한 교사가 학생들의 성장을 돕는 것을 삶의 목적으로 삼은 이야기를 들 수 있습니다. 이 교사는 자신의 교육 방식을 지속적으로 개선하고, 학생들에게 더 나은 학습 환경을 제공하기 위해 노력했습니다. 그 결과, 그는 학생들의 학업 성취도와 만족도를 크게 향상시킬 수 있었습니다. 학생들의 성장을 돕는 것은 그의 삶의 목적이자 교육 철학이 되었습니다.

두 번째 사례로, 한 의료인이 사람들의 건강을 증진시키는 것을 삶의 목적으로 삼은 이야기를 들 수 있습니다. 이 의료인은 환자들에게 최상의 치료를 제공하기 위해 끊임없이 학습하고, 새로운 의료 기술을 도입했습니다. 그는 환자들의 건강 회복과 삶의 질 향상을 위해 헌신적으로 일했으며, 많은 환자들로부터 존경과 감사의 마음을 받았습니다. 사람들의 건강을 증진시키는 것은 그의 삶의 목적이 되었습니다.

세 번째 사례로, 한 환경운동가가 지구 환경을 보호하는 것을 삶의 목적으로 삼은 이야기를 들 수 있습니다. 이 환경운동가는 지구 환경 보호를 위해 다양한 활동에 참여하고, 캠페인을 주도했습니다. 그는 환경 문제에 대한 인식을 높이고, 사람들에게 환경 보호의 중요성을 알리기 위해 노력했습니다. 그 결과, 많은 사람들이 그의 활동에 동참하게 되었고, 환경 보호에 대한 관심이 크게 증가했습니다. 지구 환경을 보호하는 것은 그의 삶의 목적이 되었습니다.

네 번째 사례로, 한 예술가가 사람들에게 감동을 주는 예술 작품을 만드는 것을 삶의 목적으로 삼은 이야기를 들 수 있습니다. 이 예술가는 자신의 작품을 통해 사람들에게 감동과 영감을 주기 위해 끊임없이 노력했습니다. 그는 새로운 예술 기법을 탐구하고, 다양한 주제를 다루며 작품을 창작했습니다. 그의 작품은 많은 사람들에게 큰 감동을 주었으며, 예술계에서 높은 평가를 받았습니다. 사람들에게 감동을 주는 예술 작품을 만드는 것은 그의 삶의 목적이 되었습니다.

마지막 사례로, 한 기업가가 사회의 긍정적인 변화를 이끄는 것을 삶의 목적으로 삼은 이야기를 들 수 있습니다. 이 기업가는 사회적 기업을 설립하여, 사회 문제를 해결하고 긍정적인 변화를 이끌기 위해 노력했습니다. 그는 환경 보호, 사회적 약자 지원 등 다양한 사회적 문제를 해결하기 위한 프로젝트를 추진했습니다. 그 결과, 그의 기업은 많은 사람들에게 도움을 주었고, 사회에 긍정적인 영향을 미쳤습니다. 사회의 긍정적인 변화를 이끄는 것은 그의 삶의 목적이 되었습니다.

이러한 사례들은 삶의 목적을 설정하고 이를 실천하는 것이 얼마나 중요한지를 잘 보여줍니다. 각자의 가치와 열정을 바탕으로 삶의 목적을 설정하면, 더 의미 있고 충만한 삶을 살 수 있습니다. 삶의 목적 설정은 개인의 성장과 행복, 사회적 유대감을 강화하는 데 중요한 역할을 합니다.

3. 목적 중심의 삶 살기

목적 중심의 삶의 중요성

목적 중심의 삶은 개인에게 깊은 만족감과 성취감을 제공하며, 삶을 더 의미 있게 만듭니다. 첫 번째 이유는 의미와 방향성을 제공하기 때문입니다. 목적이 있으면 삶의 목표와 방향이 명확해지고, 이를 향해 꾸준히 나아갈 수 있습니다. 예를 들어, 자신의 삶의 목적이 '환경 보호'라면, 일상적인 선택과 행동이 이 목적에 맞춰집니다. 목적 중심의 삶은 개인에게 명확한 방향성을 제공합니다.

두 번째 이유는 동기부여와 열정 유지입니다. 목적이 있는 삶은 어려운 상황에서도 동기부여를 유지할 수 있는 힘이 됩니다. 예를 들어, 사업가가 '사회적 문제 해결'을 목적으로 삼는다면, 사업의 어려움 속에서도 지속적으로 노력할 수 있습니다. 목적 중심의 삶은 개인에게 지속적인 동기부여와 열정을 제공합니다.

세 번째 이유는 삶의 만족도와 행복을 높이기 때문입니다. 연구에 따르면, 목적이 있는 사람들은 그렇지 않은 사람들보다 더 높은 삶의 만족도와 행복감을 느낍니다. 예를 들어, 의료인이 '환자의 건강 회복'을 삶의 목적으로 삼는다면, 환자가 회복될 때 큰 기쁨과 만족을 느낄 수 있습니다. 목적 중심의 삶은 개인의 삶의 질을 향상시킵니다.

네 번째 이유는 위기와 역경을 극복하는 힘이 됩니다. 목적이 있는 사람은 어려운 상황에서도 그 목적을 달성하기 위해 끈기 있게 노력합니다. 예를 들어, 환경운동가가 기후 변화 문제 해결을 목적으로 삼는다면, 어려움 속에서도 이를 극복하고 활동을 지속할 수 있습니다. 목적 중심의 삶은 역경을 극복하는 힘을 제공합니다.

마지막으로, 사회적 유대감과 기여를 강화합니다. 같은 목적을 가진 사람들과 함께 협력하고, 사회에 긍정적인 영향을 미칠 수 있습니다. 예를 들어, 교육자가 '학생들의 잠재력 개발'을 목적으로 삼는다면, 다른 교육자들과 협력하여 더 큰 성과를 이룰 수 있습니다. 목적 중심의 삶은 사회적 유대감과 기여를 강화합니다.

목적 중심의 삶을 사는 방법

목적 중심의 삶을 살기 위해 몇 가지 효과적인 방법을 사용할 수 있습니다. 첫 번째 방법은 명확한 목표 설정입니다. 자신의 목적에 맞는 구체적이고 명확한 목표를 설정하는 것입니다. 예를 들어, '환경 보호'가 목적이라면, '1년 안에 플라스틱 사용을 50% 줄이기'라는 구체적인 목표를 설정할 수 있습니다. 명확한 목표 설정은 목적 중심의 삶의 첫 걸음입니다.

두 번째 방법은 계획 수립과 실천입니다. 설정한 목표를 달성하기 위한 구체적인 계획을 세우고 이를 실천하는 것입니다. 예를 들어, 환경 보호 목표를 달성하기 위해 일회용 플라스틱 사용을 줄이고, 재활용 가능한 제품을 사용하는 계획을 세우는 것입니다. 계획 수립과 실천은 목적 중심의 삶을 실현하는 데 필수적입니다.

세 번째 방법은 정기적인 자기 평가와 피드백입니다. 주기적으로 자신의 목표 달성 상황을 평가하고, 필요한 경우 계획을 수정하는 것입니다. 예를 들어, 매달 자신의 환경 보호 활동을 평가하고, 더 효과적인 방법을 찾아 실천하는 것입니다. 정기적인 자기 평가와 피드백은 지속적인 성장을 촉진합니다.

네 번째 방법은 긍정적인 마인드셋 유지입니다. 어려운 상황에서도 긍정적인 태도를 유지하며, 목적을 향해 꾸준히 나아가는 것입니다. 예를 들어, 환경 보호 활동이 어려움을 겪을 때에도 긍정적인 마인드셋을 유지하고, 해결 방안을 찾는 것입니다. 긍정적인 마인드셋은 목적 중심의 삶을 지속하는 데 중요한 역할을 합니다.

마지막 방법은 지지 시스템 활용입니다. 가족, 친구, 동료 등 주변 사람들의 지지와 격려를 받아 목표를 달성하는 것입니다. 예를 들어, 환경 보호 활동을 주변 사람들과 공유하고, 그들의 지지와 도움을 받는 것입니다. 지지 시스템은 목적 중심의 삶을 사는 데 큰 도움이 됩니다.

실생활 적용 사례

목적 중심의 삶을 사는 사람들의 실생활 적용 사례는 많은 이들에게 영감을 줄 수 있습니다. 첫 번째 사례로, 한 교사가 학생들의 잠재력 개발을 목적으로 삼고 이를 실천한 이야기를 들 수 있습니다. 이 교사는 학생들의 잠재력을 개발하기 위해 다양한 교육 방법을 시도하고, 학생 개개인에 맞춘 교육 프로그램을 개발했습니다. 그 결과, 많은 학생들이 자신의 잠재력을 발견하고, 학업 성취도를 높일 수 있었습니다.

두 번째 사례로, 한 기업가가 사회적 문제 해결을 목적으로 삼고 이를 실천한 이야기를 들 수 있습니다. 이 기업가는 사회적 기업을 설립하여, 환경 보호와 사회적 약자 지원을 목표로 다양한 프로젝트를 추진했습니다. 그는 지속 가능한 제품을 개발하고, 수익의 일부를 사회적 약자 지원에 사용했습니다. 그 결과, 그의 기업은 사회에 긍정적인 영향을 미치며 성장할 수 있었습니다.

세 번째 사례로, 한 운동선수가 건강한 생활을 목적으로 삼고 이를 실천한 이야기를 들 수 있습니다. 이 운동선수는 자신의 건강을 지키기 위해 규칙적인 운동과 건강한 식습관을 유지했습니다. 그는 또한, 건강한 생활 습관을 다른 사람들과 공유하며, 많은 사람들에게 건강의 중요성을 알렸습니다. 그 결과, 그는 자신의 건강을 유지하면서도 다른 사람들에게 긍정적인 영향을 미칠 수 있었습니다.

네 번째 사례로, 한 자원봉사자가 사회 봉사를 목적으로 삼고 이를 실천한 이야기를 들 수 있습니다. 이 자원봉사자는 지역 사회의 어려운 사람들을 돕기 위해 다양한 봉사 활동에 참여했습니다. 그는 음식 나누기, 교육 지원, 환경 정화 활동 등 여러 가지 봉사 활동을 통해 지역 사회에 큰 기여를 했습니다. 그 결과, 그는 많은 사람들에게 감사와 존경을 받으며, 지역 사회의 긍정적인 변화를 이끌어낼 수 있었습니다.

마지막 사례로, 한 예술가가 예술을 통한 사회적 메시지 전달을 목적으로 삼고 이를 실천한 이야기를 들 수 있습니다. 이 예술가는 자신의 작품을 통해 환경 보호, 평화, 인권 등 중요한 사회적 메시지를 전달했습니다. 그는 전시회와 공공 예술 프로젝트를 통해 많은 사람들에게 감동을 주었고, 사회적 인식을 높이는 데 기여했습니다. 그 결과, 그의 작품은 많은 사람들에게 영감을 주며, 사회에 긍정적인 영향을 미칠 수 있었습니다.

이러한 사례들은 목적 중심의 삶을 사는 것이 개인과 사회에 얼마나 큰 영향을 미칠 수 있는지를 잘 보여줍니다. 각자의 가치와 목적을 바탕으로 삶의 목표를 설정하고 이를 실천하면, 더 의미 있고 충만한 삶을 살 수 있습니다. 목적 중심의 삶은 개인의 성장과 행복, 사회적 유대감을 강화하는 데 중요한 역할을 합니다.

지금 이 순간을

'Day One'으로 삼아

꿈을 향해 나아가세요.

꾸준한 노력과 열정이 성공을 이끌 것입니다.

지금 아니면 언제? : 계획하기만 했던 하루를 시작하는 하루로 만들어요.

제 10 장

지속 가능한
동기부여

동기부여 자원 활용은 문제 해결, 자기 계발 등을 촉진합니다.
효과적인 활용에는 자원 탐색, 개인화된 선택, 지속적 활용,
성과 평가 등이 필요하며, 이는 장기적 성장과 목표 달성에
필수적입니다.

1. 장기적 동기부여 유지 방법

장기적 동기부여의 필요성

장기적 동기부여는 개인의 목표 달성과 지속적인 성장을 위해 필수적입니다. 첫 번째 이유는 장기적 목표 달성에 필수적이기 때문입니다. 단기적인 성취가 아닌, 인생 전체에 걸쳐 중요한 목표를 달성하려면 지속적인 동기부여가 필요합니다. 예를 들어, 전문적인 경력을 쌓거나, 학문적 연구를 이어가거나, 건강을 유지하는 것처럼 장기적인 목표를 이루기 위해서는 꾸준한 동기부여가 필수적입니다.

두 번째 이유는 지속적인 성장을 촉진하기 때문입니다. 지속적인 동기부여는 개인이 새로운 도전과 학습을 지속하게 하며, 이를 통해 끊임없이 성장할 수 있게 합니다. 예를 들어, 한 분야의 전문가가 되기 위해 지속적으로 학습하고 발전하려면 꾸준한 동기부여가 필요합니다. 이는 개인의 성장을 지속적으로 촉진하는 데 중요합니다.

세 번째 이유는 일관된 성과를 유지하기 때문입니다. 장기적으로 동기부여가 유지되면 일관된 성과를 지속적으로 달성할 수 있습니다. 예를 들어, 운동선수가 꾸준한 동기부여를 통해 지속적으로 훈련하고 경기에서 좋은 성적을 유지하는 것입니다. 일관된 성과는 지속적인 동기부여를 통해 가능해집니다.

네 번째 이유는 스트레스와 번아웃을 예방하기 때문입니다. 장기적인 동기부여는 스트레스와 번아웃을 예방하는 데 중요한 역할을 합니다. 동기부여가 지속되면 목표를 향한 열정과 에너지를 유지할 수 있으며, 이는 정신적, 신체적 건강을 유지하는 데 도움이 됩니다. 예를 들어, 직장에서의 동기부여가 지속되면 번아웃을 예방하고 업무 성과를 높일 수 있습니다.

마지막 이유는 삶의 질을 향상시키기 때문입니다. 지속적인 동기부여는 삶을 더 의미 있고 충만하게 만듭니다. 예를 들어, 개인의 삶의 목적을 이루기 위해 꾸준히 노력하고 이를 통해 성취감을 느낄 수 있습니다. 장기적 동기부여는 삶의 질을 향상시키는 데 중요한 역할을 합니다.

동기부여를 지속하는 방법

동기부여를 지속하기 위해 몇 가지 효과적인 방법을 사용할 수 있습니다. 첫 번째 방법은 구체적이고 도전적인 목표 설정입니다. 목표가 구체적이고 도전적일수록 이를 달성하기 위한 동기부여가 지속됩니다. 예를 들어, "5년 안에 마라톤 완주"와 같은 구체적이고 도전적인 목표를 설정하는 것입니다. 이는 동기부여를 지속시키는 데 효과적입니다.

두 번째 방법은 정기적인 성과 평가와 피드백입니다. 주기적으로 자신의 성과를 평가하고, 이를 통해 동기부여를 유지할 수 있습니다. 예를 들어, 매달 자신의 목표 달성 여부를 평가하고, 필요한 경우 계획을 수정하는 것입니다. 성과 평가와 피드백은 지속적인 동기부여를 유지하는 데 중요합니다.

세 번째 방법은 긍정적인 마인드셋 유지입니다. 긍정적인 태도를 유지하며, 어려운 상황에서도 긍정적인 면을 찾는 것이 중요합니다.

예를 들어, 실패를 경험하더라도 이를 통해 배울 수 있는 점을 찾고, 긍정적인 태도로 다시 도전하는 것입니다. 긍정적인 마인드셋은 동기부여를 지속하는 데 중요한 역할을 합니다.

네 번째 방법은 자기 보상 시스템 도입입니다. 목표를 달성했을 때 자신에게 작은 보상을 주는 것이 효과적입니다. 예를 들어, 프로젝트를 성공적으로 완료했을 때 자신에게 휴가를 주는 것입니다. 자기 보상 시스템은 동기부여를 지속시키는 데 도움이 됩니다.

마지막 방법은 지지 시스템 활용입니다. 가족, 친구, 동료 등 주변 사람들의 지지와 격려를 받는 것이 중요합니다. 예를 들어, 목표를 공유하고, 주변 사람들의 응원과 지지를 받는 것입니다. 지지 시스템은 동기부여를 지속하는 데 큰 도움이 됩니다.

장기적 동기부여 사례

장기적 동기부여를 유지한 사례는 많은 사람들에게 영감을 줄 수 있습니다. 첫 번째 사례로, 한 운동선수가 장기적인 동기부여를 통해 성공을 거둔 이야기를 들 수 있습니다. 이 운동선수는 올림픽에서 금메달을 목표로 설정하고, 수년간 꾸준히 훈련했습니다. 그는 정기적인 성과 평가와 피드백을 통해 자신의 훈련 계획을 지속적으로 개선했습니다. 또한, 작은 목표를 달성할 때마다 자신에게 보상을 주며 동기부여를 유지했습니다. 그 결과, 그는 올림픽에서 금메달을 획득할 수 있었습니다.

두 번째 사례로, 한 직장인이 장기적인 동기부여를 통해 경력을 쌓은 이야기를 들 수 있습니다. 이 직장인은 자신의 커리어 목표를 설정하고, 이를 달성하기 위해 꾸준히 노력했습니다. 그는 정기적으로 자신의 성과를 평가하고, 필요한 경우 경력 개발 계획을 수정했습니다. 또한, 긍정적인 마인드셋을 유지하며, 어려운 상황에서도 동기부여를 잃지 않았습니다. 그 결과, 그는 회사에서 빠르게 승진할 수 있었습니다.

세 번째 사례로, 한 대학생이 장기적인 동기부여를 통해 학업 성취를 이룬 이야기를 들 수 있습니다. 이 학생은 대학 졸업을 목표로 설정하고, 이를 달성하기 위해 꾸준히 학습했습니다. 그는 정기적으로 자신의 학습 성과를 평가하고, 학습 방법을 개선했습니다. 또한, 작은 학습 목표를 달성할 때마다 자신에게 보상을 주며 동기부여를 유지했습니다. 그 결과, 그는 우수한 성적으로 대학을 졸업할 수 있었습니다.

네 번째 사례로, 한 자영업자가 장기적인 동기부여를 통해 사업 성공을 이룬 이야기를 들 수 있습니다. 이 자영업자는 자신의 사업 목표를 설정하고, 이를 달성하기 위해 꾸준히 노력했습니다. 그는 정기적으로 자신의 사업 성과를 평가하고, 필요한 경우 사업 전략을 수정했습니다. 또한, 주변 사람들의 지지와 격려를 받으며 동기부여를 유지했습니다. 그 결과, 그의 사업은 크게 성장할 수 있었습니다.

마지막 사례로, 한 예술가가 장기적인 동기부여를 통해 예술적 성취를 이룬 이야기를 들 수 있습니다. 이 예술가는 자신의 예술 목표를 설정하고, 이를 달성하기 위해 꾸준히 창작 활동을 이어갔습니다. 그는 정기적으로 자신의 작품을 평가하고, 필요한 경우 창작 방법을 개선했습니다. 또한, 긍정적인 마인드셋을 유지하며, 예술적 도전을 지속했습니다. 그 결과, 그의 작품은 많은 사람들에게 큰 감동을 주었고, 예술계에서 높은 평가를 받을 수 있었습니다.

이러한 사례들은 장기적 동기부여가 개인의 성공과 성취에 얼마나 중요한 역할을 하는지를 잘 보여줍니다. 구체적이고 도전적인 목표 설정, 정기적인 성과 평가와 피드백, 긍정적인 마인드셋 유지, 자기 보상 시스템 도입, 지지 시스템 활용 등을 통해 장기적 동기부여를 지속할 수 있습니다. 이는 개인의 성장과 목표 달성에 큰 도움이 됩니다.

2. 동기부여 자원 활용

동기부여 자원의 중요성

동기부여 자원은 개인이 목표를 달성하고 지속적인 성장을 이루는 데 중요한 역할을 합니다. 첫 번째 이유는 지속적인 동기부여를 유지하기 때문입니다. 적절한 자원을 활용하면 일시적인 동기부여를 넘어, 장기적으로 동기부여를 지속할 수 있습니다. 예를 들어, 동기부여 서적이나 강연은 일시적인 영감을 제공할 수 있지만, 이를 지속적으로 접하면 장기적인 동기부여로 이어질 수 있습니다.

두 번째 이유는 개인의 성과를 향상시키기 때문입니다. 동기부여 자원을 활용하면 목표 달성에 필요한 지식과 기술을 습득할 수 있으며, 이를 통해 성과를 향상시킬 수 있습니다. 예를 들어, 온라인 강좌나 워크숍을 통해 새로운 기술을 배우면, 업무 성과나 학업 성취도를 높일 수 있습니다. 동기부여 자원은 성과 향상에 중요한 역할을 합니다.

세 번째 이유는 문제 해결 능력을 강화하기 때문입니다. 동기부여 자원을 통해 다양한 문제 해결 방법을 배우고, 이를 실제 상황에 적용할 수 있습니다. 예를 들어, 문제 해결에 대한 책이나 강연을 통해 배운 방법을 업무나 일상 생활에 적용하면, 문제를 효과적으로 해결할 수 있습니다. 동기부여 자원은 문제 해결 능력을 강화하는 데 도움이 됩니다.

네 번째 이유는 자기 계발과 성장을 촉진하기 때문입니다. 동기부여 자원을 통해 자신의 한계를 넘어 새로운 가능성을 발견하고, 지속적으로 성장할 수 있습니다. 예를 들어, 개인 개발 워크숍에 참여하거나 멘토링 프로그램을 통해 자신의 능력을 향상시키는 것입니다. 동기부여 자원은 자기 계발과 성장을 촉진합니다.

마지막으로, 동기부여 자원은 심리적 안정을 제공하기 때문입니다. 어려운 상황에서도 긍정적인 마인드셋을 유지하고, 동기부여를 잃지 않도록 도와줍니다. 예를 들어, 명상 앱이나 정신 건강 지원 프로그램을 통해 스트레스를 관리하고, 심리적 안정을 유지할 수 있습니다. 동기부여 자원은 심리적 안정을 제공하는 데 중요한 역할을 합니다.

효과적인 자원 활용 방법

동기부여 자원을 효과적으로 활용하기 위해 몇 가지 전략을 사용할 수 있습니다. 첫 번째 전략은 다양한 자원을 탐색하는 것입니다. 책, 강연, 온라인 강좌, 워크숍, 멘토링 등 다양한 자원을 활용하여 동기부여를 유지합니다. 예를 들어, 매달 새로운 동기부여 서적을 읽거나, 주기적으로 온라인 강좌를 수강하는 것입니다. 다양한 자원 탐색은 동기부여를 지속적으로 유지하는 데 도움이 됩니다.

두 번째 전략은 개인 맞춤형 자원을 선택하는 것입니다. 자신의 목표와 필요에 맞는 자원을 선택하여 활용합니다. 예를 들어, 직무 관련 기술을 향상시키기 위해 특정 분야의 전문 강좌를 수강하는 것입니다. 개인 맞춤형 자원 선택은 목표 달성에 효과적입니다.

세 번째 전략은 정기적으로 자원을 활용하는 것입니다. 동기부여 자원을 주기적으로 활용하여 지속적인 동기부여를 유지합니다. 예를 들어, 매주 한 편의 동기부여 강연을 듣거나, 매일 아침 명상을 하는 것입니다. 정기적인 자원 활용은 동기부여를 지속적으로 유지하는 데 중요합니다.

네 번째 전략은 자원 활용 후 성과를 평가하는 것입니다. 자원을 활용한 후 자신의 성과를 평가하고, 필요한 경우 자원을 조정하거나 새로운 자원을 탐색합니다. 예를 들어, 온라인 강좌를 수강한 후 자신의 성과를 평가하고, 더 나은 자원을 찾는 것입니다. 성과 평가와 자원 조정은 효과적인 자원 활용에 중요합니다.

마지막 전략은 지지 시스템을 활용하는 것입니다. 가족, 친구, 동료 등 주변 사람들의 지지와 격려를 받으며 자원을 활용합니다. 예를 들어, 동기부여 서적을 읽고 느낀 점을 공유하거나, 함께 명상하는 그룹을 만드는 것입니다. 지지 시스템은 동기부여 자원 활용에 큰 도움이 됩니다.

동기부여 자원 사례

동기부여 자원을 효과적으로 활용한 사례는 많은 사람들에게 영감을 줄 수 있습니다. 첫 번째 사례로, 한 직장인이 동기부여 서적과 온라인 강좌를 통해 직무 성과를 향상시킨 이야기를 들 수 있습니다. 이 직장인은 매달 한 권의 동기부여 서적을 읽고, 주기적으로 직무 관련 온라인 강좌를 수강했습니다. 이를 통해 그는 자신의 직무 기술을 향상시키고, 업무 성과를 크게 높일 수 있었습니다.

두 번째 사례로, 한 학생이 멘토링 프로그램을 통해 학업 성취를 이룬 이야기를 들 수 있습니다. 이 학생은 멘토링 프로그램에 참여하여 멘토로부터 학습 방법과 목표 설정에 대한 조언을 받았습니다. 또한, 정기적으로 멘토와의 만남을 통해 성과를 평가하고, 학습 계획을 조정했습니다. 그 결과, 그는 학업 성적을 크게 향상시킬 수 있었습니다.

세 번째 사례로, 한 자영업자가 사업 개발 워크숍과 네트워킹 이벤트를 통해 사업 성장을 이룬 이야기를 들 수 있습니다. 이 자영업자는 주기적으로 사업 개발 워크숍에 참여하고, 네트워킹 이벤트를 통해 다른 사업가들과 교류하며 정보를 공유했습니다. 이를 통해 그는 새로운 사업 기회를 발견하고, 사업을 성장시킬 수 있었습니다.

네 번째 사례로, 한 운동선수가 동기부여 강연과 명상 앱을 통해 운동 성과를 향상시킨 이야기를 들 수 있습니다. 이 운동선수는 매주 한 편의 동기부여 강연을 듣고, 매일 아침 명상 앱을 사용하여 명상을 했습니다. 이를 통해 그는 정신적 안정을 유지하며, 운동 성과를 크게 향상시킬 수 있었습니다.

마지막 사례로, 한 예술가가 예술 관련 워크숍과 온라인 커뮤니티를 통해 창작 능력을 향상시킨 이야기를 들 수 있습니다. 이 예술가는 정기적으로 예술 관련 워크숍에 참여하고, 온라인 커뮤니티에서 다른 예술가들과 교류하며 창작 방법을 배우고 영감을 얻었습니다. 이를 통해 그는 자신의 작품을 발전시키고, 예술계에서 높은 평가를 받을 수 있었습니다.

이러한 사례들은 동기부여 자원을 효과적으로 활용하면 개인의 목표 달성과 성취에 큰 도움이 될 수 있음을 잘 보여줍니다. 다양한 자원을 탐색하고, 개인 맞춤형 자원을 선택하며, 정기적으로 자원을 활용하고, 성과를 평가하며, 지지 시스템을 활용하는 전략을 통해 동기부여 자원을 효과적으로 활용할 수 있습니다. 이는 개인의 성장과 성공을 위한 중요한 과정입니다.

3. 지속 가능한 동기부여 시스템 구축

동기부여 시스템의 필요성

지속 가능한 동기부여 시스템은 개인이 장기적으로 목표를 달성하고 성장을 지속하는 데 필수적입니다. 첫 번째 이유는 일관된 동기부여 유지입니다. 일시적인 동기부여는 금방 사라질 수 있지만, 체계적인 시스템을 구축하면 지속적으로 동기부여를 유지할 수 있습니다. 예를 들어, 일일 목표 설정과 성과 평가 시스템을 통해 꾸준히 목표를 달성할 수 있습니다.

두 번째 이유는 효율적인 목표 달성입니다. 동기부여 시스템은 개인의 목표를 명확히 하고, 이를 달성하기 위한 구체적인 계획과 전략을 제공합니다. 예를 들어, 프로젝트 관리 시스템을 통해 업무를 체계적으로 관리하고, 효과적으로 목표를 달성할 수 있습니다. 시스템은 목표 달성의 효율성을 높입니다.

세 번째 이유는 스트레스와 번아웃 예방입니다. 체계적인 동기부여 시스템은 개인이 목표를 달성하는 과정에서 겪는 스트레스와 번아웃을 예방하는 데 도움이 됩니다. 예를 들어, 적절한 휴식과 자기 관리를 포함한 시스템을 통해 스트레스를 관리할 수 있습니다. 이는 개인의 정신적, 신체적 건강을 유지하는 데 중요합니다.

네 번째 이유는 지속적인 자기 계발과 성장입니다. 동기부여 시스템은 개인이 꾸준히 배우고 성장할 수 있는 환경을 제공합니다. 예를 들어, 정기적인 학습 계획과 자기 평가를 통해 지속적으로 발전할 수 있습니다. 시스템은 자기 계발과 성장을 촉진합니다.

마지막 이유는 일관된 성과 유지입니다. 체계적인 동기부여 시스템을 통해 개인은 일관되게 높은 성과를 유지할 수 있습니다. 예를 들어, 성과 관리 시스템을 통해 주기적으로 성과를 평가하고 개선할 수 있습니다. 이는 개인의 장기적인 성공에 중요한 역할을 합니다.

지속 가능한 동기부여 시스템 구축 방법

지속 가능한 동기부여 시스템을 구축하기 위해 몇 가지 전략을 사용할 수 있습니다. 첫 번째 전략은 명확한 목표 설정과 계획 수립입니다. 목표를 구체적이고 명확하게 설정하고, 이를 달성하기 위한 구체적인 계획을 세웁니다. 예를 들어, SMART 목표 설정

방식을 사용하여 목표를 설정하고, 이를 달성하기 위한 단계별 계획을 수립합니다. 명확한 목표와 계획은 시스템의 기초가 됩니다.

두 번째 전략은 정기적인 성과 평가와 피드백입니다. 주기적으로 자신의 성과를 평가하고, 필요한 경우 계획을 수정하여 더 나은 결과를 얻습니다. 예를 들어, 매주 자신의 목표 달성 여부를 평가하고, 이를 바탕으로 다음 주의 계획을 조정합니다. 정기적인 평가와 피드백은 시스템의 지속 가능성을 높입니다.

세 번째 전략은 긍정적인 마인드셋과 동기부여 유지입니다. 긍정적인 태도를 유지하며, 어려운 상황에서도 긍정적인 면을 찾고 동기부여를 잃지 않도록 합니다. 예를 들어, 긍정적인 자기 대화를 통해 자신을 격려하고, 실패를 성장의 기회로 받아들입니다. 긍정적인 마인드셋은 시스템의 일관성을 유지합니다.

네 번째 전략은 자기 보상 시스템 도입입니다. 목표를 달성했을 때 자신에게 작은 보상을 주는 것이 효과적입니다. 예를 들어, 프로젝트를 성공적으로 완료했을 때 자신에게 좋아하는 음식을 먹거나, 휴식을 취하는 시간을 갖습니다. 자기 보상 시스템은 동기부여를 강화합니다.

마지막 전략은 지지 시스템 활용입니다. 가족, 친구, 동료 등 주변 사람들의 지지와 격려를 받으며 목표를 달성합니다. 예를 들어, 목표를 공유하고, 주변 사람들의 응원과 피드백을 받습니다. 지지 시스템은 시스템의 지속 가능성을 높입니다.

동기부여 시스템 적용 사례

지속 가능한 동기부여 시스템을 구축하고 성공적으로 적용한 사례는 많은 사람들에게 영감을 줄 수 있습니다. 첫 번째 사례로, 한 직장인이 성과 관리 시스템을 통해 업무 성과를 높인 이야기를 들 수 있습니다. 이 직장인은 SMART 목표 설정 방식을 사용하여 업무 목표를 설정하고, 이를 달성하기 위한 단계별 계획을 세웠습니다. 또한, 매주 자신의 성과를 평가하고, 필요한 경우 계획을 수정했습니다. 이를 통해 그는 꾸준히 높은 성과를 유지할 수 있었습니다.

두 번째 사례로, 한 학생이 학습 관리 시스템을 통해 학업 성취를 이룬 이야기를 들 수 있습니다. 이 학생은 정기적인 학습 계획을 수립하고, 매일 학습 목표를 설정하여 실천했습니다. 또한, 주기적으로 자신의 학습 성과를 평가하고, 필요한 경우 학습 방법을 조정했습니다. 이를 통해 그는 학업 성적을 크게 향상시킬 수 있었습니다.

세 번째 사례로, 한 자영업자가 사업 관리 시스템을 통해 사업 성장을 이룬 이야기를 들 수 있습니다. 이 자영업자는 구체적인 사업 목표를 설정하고, 이를 달성하기 위한 구체적인 계획을 세웠습니다. 또한, 정기적으로 사업 성과를 평가하고, 필요한 경우 사업 전략을 수정했습니다. 이를 통해 그의 사업은 크게 성장할 수 있었습니다.

네 번째 사례로, 한 운동선수가 훈련 관리 시스템을 통해 운동 성과를 향상시킨 이야기를 들 수 있습니다. 이 운동선수는 장기적인 훈련 목표를 설정하고, 이를 달성하기 위한 훈련 계획을 세웠습니다. 또한, 주기적으로 자신의 훈련 성과를 평가하고, 필요한 경우 훈련 방법을 조정했습니다. 이를 통해 그는 경기에서 높은 성과를 낼 수 있었습니다.

마지막 사례로, 한 예술가가 창작 관리 시스템을 통해 예술적 성취를 이룬 이야기를 들 수 있습니다. 이 예술가는 구체적인 창작 목표를 설정하고, 이를 달성하기 위한 창작 계획을 세웠습니다. 또한, 정기적으로 자신의 작품을 평가하고, 필요한 경우 창작 방법을 개선했습니다. 이를 통해 그의 작품은 많은 사람들에게 큰 감동을 주었고, 예술계에서 높은 평가를 받을 수 있었습니다.

이러한 사례들은 지속 가능한 동기부여 시스템이 개인의 성공과 성취에 얼마나 중요한 역할을 하는지를 잘 보여줍니다. 명확한 목표 설정과 계획 수립, 정기적인 성과 평가와 피드백, 긍정적인 마인드셋 유지, 자기 보상 시스템 도입, 지지 시스템 활용 등의 전략을 통해 지속 가능한 동기부여 시스템을 구축할 수 있습니다. 이는 개인의 성장과 성공을 위한 중요한 과정입니다.

결론   독자에게
                              주는
                              메시지

"지금 아니면 언제? (One Day or Day One?)"는
독자들에게 목표 설정, 동기 부여 유지, 실패 극복 방법을
제시하며, 실질적인 변화를 시작하고 목표 달성을 돕는
실용적인 가이드 역할을 합니다.

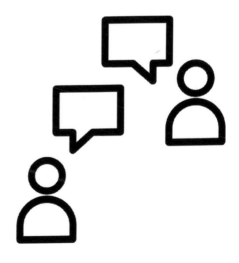

1. 주요 내용 요약

이 책 "지금 아니면 언제? (One Day or Day One?)"는 독자들이 목표를 설정하고 달성하는 과정에서 지속적으로 동기부여를 유지할 수 있도록 돕기 위해 다양한 전략과 실질적인 방법을 제시했습니다. 첫 번째로, 동기부여의 필요성을 논의하며, 동기부여가 개인의 성장과 성취에 미치는 중요성을 강조했습니다. 현대 사회에서 동기부여가 부족한 이유와 이를 극복하기 위한 방법도 다루었습니다.

두 번째로, 동기부여의 심리적 메커니즘을 설명하며, 내적 동기와 외적 동기의 차이, 자결성 이론, 마슬로우의 욕구 단계 이론 등을 소개했습니다. 이를 통해 독자들이 자신의 동기부여를 이해하고 효과적으로 관리할 수 있는 방법을 배울 수 있었습니다.

세 번째로, 목표 설정과 성취의 중요성을 강조했습니다. 목표 설정의 필요성과 SMART 목표 설정법을 설명하며, 장기적 목표와 단기적 목표를 균형 있게 설정하는 방법을 다루었습니다. 또한, 목표 성취를 위한 구체적인 전략과 장애물 극복 방법을 제시했습니다.

네 번째로, "One Day"에서 "Day One"으로 전환하기를 통해 즉각적인 행동의 중요성을 강조했습니다. 미루는 습관의 심리학과 이를 극복하는 방법을 설명하고, 즉각적인 행동을 촉진하는 방법과 성공 사례를 통해 독자들이 실질적인 변화를 시작할 수 있도록 도왔습니다.

다섯 번째로, 동기부여를 유지하는 방법을 다루며, 작은 목표 설정 및 달성, 자기 보상 시스템, 지속적인 자기 평가와 피드백의 중요성을 설명했습니다. 또한, 좋은 습관과 나쁜 습관의 정의와 습관 형성의 단계를 통해 성공적인 습관 형성 방법을 제시했습니다.

여섯 번째로, 실패와 좌절 극복의 중요성을 논의하며, 실패의 가치와 교훈, 실패를 극복하는 방법, 회복 탄력성을 키우는 방법을 소개했습니다. 이를 통해 독자들이 실패를 두려워하지 않고 성장의 기회로 삼을 수 있도록 도왔습니다.

일곱 번째로, 목표 달성을 위한 실천 전략을 제시하며, SMART 목표 설정, 시간 관리와 우선순위 설정, 실천 가능한 계획 수립의 중요성을 설명했습니다. 또한, 성공 사례 분석을 통해 유명인들과 일반인의 성공 비결을 소개하고, 이를 실생활에 적용하는 방법을 배울 수 있었습니다.

마지막으로, 지속 가능한 동기부여를 위해 동기부여 자원의 중요성, 효과적인 자원 활용 방법, 지속 가능한 동기부여 시스템 구축 방법을 다루었습니다. 다양한 자원과 시스템을 활용하여 개인이 지속적으로 동기부여를 유지하고 목표를 달성하는 방법을 제시했습니다.

2. 독자에게 주는 메시지

이 책은 단순한 동기부여 책을 넘어, 독자 여러분이 실질적인 변화를 시작하고 지속적으로 목표를 달성할 수 있도록 돕는 실용적인 가이드입니다. 지금 이 순간이 여러분의 'Day One'이 될 수 있습니다. 중요한 것은 결심과 실행입니다. 목표를 설정하고, 작은 단계부터 시작하여 꾸준히 실천하십시오.

여러분은 이 책에서 배운 다양한 전략과 방법을 통해 자신만의 동기부여 시스템을 구축할 수 있습니다. 지속적인 동기부여를 유지하며, 목표를 달성하고, 실패를 극복하며, 끊임없이 성장해 나가십시오.

"지금 아니면 언제?"라는 질문은 여러분의 삶을 변화시키는 중요한 시작점이 될 수 있습니다. 오늘이 여러분의 'Day One'입니다. 지금 시작하십시오. 여러분의 목표를 이루고, 더 나은 미래를 만들어 나가는 길에 이 책이 작은 도움이 되기를 바랍니다. 여러분의 성공을 기원합니다.

부록: 참고문헌 및 추천도서

이 부록을 통해 독자들이 추가적인 자료와 도서를 활용하여 동기부여와 목표 달성에 대한 깊이 있는 이해를 얻고, 실질적인 변화를 이루는 데 도움이 되기를 바랍니다.

1. 추가 자료 및 참고 문헌

이 책을 통해 소개된 개념과 이론, 방법론을 더욱 깊이 이해하고자 하는 독자들을 위해, 관련 자료와 참고 문헌을 제공합니다. 아래의 자료들은 동기부여와 목표 달성에 대한 심층적인 이해를 도울 것입니다.

데시, 에드워드 L., 라이언, 리처드 M. (2012). 자결성 이론: 인간의 동기와 성장을 위한 심리적 요인들: 이 책은 자결성 이론(Self-Determination Theory)에 대한 심층적인 내용을 다루며, 인간의 내적 동기와 심리적 성장의 원리를 설명합니다.

매슬로, 에이브러햄 H. (1954). 동기와 성격: 이 책에서는 매슬로의 욕구 단계 이론을 중심으로 인간의 동기와 성격에 대해 탐구합니다.

로크, 에드윈 A., 레덤, 게리 P. (1990). 목표 설정 이론과 실제: 목표 설정 이론에 대한 체계적인 설명과 실제 적용 사례를 통해 목표 설정의 중요성과 효과를 논의합니다.

카너먼, 대니얼 (2011). 생각에 관한 생각: 빠르고 느린 사고의 심리학:

인간의 사고 방식과 의사결정 과정을 설명하며, 목표 달성과 동기부여에 영향을 미치는 심리적 요인들을 탐구합니다.

드웩, 캐럴 S. (2006). 마인드셋: 새로운 성공의 심리학: 고정 마인드셋과 성장 마인드셋의 차이를 설명하며, 긍정적인 마인드셋이 동기부여와 성공에 미치는 영향을 다룹니다.

코빙턴, 스티븐 (1997). 성과를 극대화하는 목표 관리: 목표 관리의 원리와 실질적인 적용 방법을 통해 개인과 조직의 성과를 극대화하는 방법을 제시합니다.

2. 동기부여 관련 추천 도서

동기부여와 자기 계발에 대한 추가적인 통찰과 영감을 얻고자 하는 독자들을 위해 다음과 같은 도서들을 추천합니다. 이 도서들은 다양한 관점에서 동기부여와 목표 달성에 대해 다루고 있으며, 여러분의 개인적, 전문적 성장을 도울 것입니다.

"원씽(The ONE Thing)" - 게리 켈러, 제이 파파산: 단 하나의 중요한 목표에 집중함으로써 성취할 수 있는 결과와 그 과정에서 얻는 동기부여에 대해 다룹니다.

"아주 작은 습관의 힘(Atomic Habits)" - 제임스 클리어: 작은 습관의 변화가 어떻게 지속적인 성공으로 이어질 수 있는지를 구체적인 사례와 함께 설명합니다.

"그릿(Grit): IQ보다 더 중요한 열정과 끈기의 힘" – 앤절라 더크워스: 성공을 결정짓는 중요한 요소로서의 열정과 끈기의 역할을 탐구하며, 이를 키우는 방법을 제시합니다.

"모두 거짓말을 한다(Everybody Lies)" – 세스 스티븐스 다비도위츠: 데이터 분석을 통해 인간의 심리와 행동에 대한 통찰을 제공하며, 동기부여에 대한 새로운 시각을 제시합니다.

"성공하는 사람들의 7가지 습관(The 7 Habits of Highly Effective People)" – 스티븐 코비: 개인과 조직의 효과성을 극대화하는 일곱 가지 습관을 통해 목표 달성의 전략과 동기부여 방법을 설명합니다.

"프리라이더(The Free Rider Problem)" – 애덤 그랜트: 조직 내에서의 동기부여와 협력의 중요성을 다루며, 개인과 조직의 성과를 높이는 방법을 제시합니다.

작가 인사말 혜천(慧天) 이지해

안녕하세요, 작가 이지해입니다. 이 책 "지금 아니면 언제? (One Day or Day One?)"을 통해 여러분과 만날 수 있게 되어 매우 기쁩니다. 이 책은 여러분이 자신의 목표를 설정하고, 이를 이루기 위한 동기부여와 실천 전략을 제공하는 데 중점을 두고 있습니다.

저는 20년 이상 (주)현대카드, (주)인터파크투어, (주)리만코리아 등의 조직에서 활동하며, 많은 사람들이 자신만의 목표를 달성하도록 도왔습니다. 이 경험을 바탕으로, 이 책을 통해 여러분에게 실질적이고 효과적인 조언을 전하고자 합니다. 책의 각 장에서는 동기부여의 필요성, 목표 설정과 성취, 실패와 좌절 극복, 지속 가능한 동기부여 시스템 구축 등 다양한 주제를 다루고 있습니다.

이 책에서 소개하는 다양한 이론과 실생활 사례는 여러분이 목표를 달성하는 데 필요한 구체적인 방법과 동기부여를 제공합니다. 작은 목표를 설정하고 달성하는 방법, 자기 보상 시스템 도입, 지속적인 자기 평가와 피드백 등 실천 가능한 전략들을 통해 여러분이 꾸준히 나아갈 수 있도록 돕고자 합니다.

저는 여러분이 이 책을 통해 자신의 목표를 다시 한 번 떠올리고, 그 목표를 향해 한 걸음 더 나아가기를 바랍니다. 목표를 이루는 길은 쉽지 않지만, 포기하지 않고 꾸준히 노력하는 자세가 중요합니다. 이 책이 여러분의 여정에 작은 등불이 되기를 희망합니다.

끝으로, 이 책을 읽는 모든 분들이 자신의 목표를 이루고, 다른 이들의 목표를 응원하는 멋진 삶을 살아가기를 진심으로 기원합니다. 오늘을 'Day One'으로 삼고, 꿈을 향해 나아가는 길에서 만나는 모든 도전과 성취를 소중히 여기길 바랍니다. 감사합니다.

에필로그 Epilogue

여러분, "지금 아니면 언제? (One Day or Day One?)"의 마지막 페이지를 함께하게 되어 매우 기쁩니다. 이 책을 통해 여러분과 목표 설정, 동기부여, 실패 극복, 그리고 지속 가능한 성공에 대한 이야기를 나눌 수 있어 영광이었습니다.

이 책에서 우리는 다양한 이론과 실질적인 방법론을 통해 목표를 설정하고 달성하는 과정을 탐구했습니다. 여러분이 읽는 동안, 자신만의 목표를 떠올리고 이를 향해 한 걸음씩 나아가는 방법을 발견하셨기를 바랍니다. 동기부여는 단순히 순간의 열정이 아닌, 일관되고 지속적인 노력이 필요한 요소입니다. 우리는 각기 다른 출발점을 가지고 있지만, 꾸준한 노력과 긍정적인 태도는 누구나 성공의 길을 걸어갈 수 있도록 돕습니다.

여정의 끝에는 항상 새로운 시작이 기다리고 있습니다. 이 책이 여러분에게 새로운 출발점이 되었기를 바랍니다. 여러분이 설정한 목표가 무엇이든, 그것이 크든 작든 간에, 이를 향해 꾸준히 나아가는 과정이야말로 가장 값진 경험이 될 것입니다. 목표를 달성하는 길에서 만나는 어려움과 실패는 피할 수 없는 부분이지만, 그 속에서 배우고 성장할 수 있는 기회를 발견하십시오.

여러분이 이 책을 통해 얻은 지식과 영감이 실질적인 변화로 이어지길 진심으로 바랍니다. 작은 목표를 하나씩 달성하며 느끼는 성취감이 더 큰 목표를 향한 발판이 될 것입니다. 매일매일을 'Day One'으로 삼고, 주저하지 말고 도전하십시오.

저는 여러분이 이 책을 통해 얻은 모든 깨달음과 전략을 실생활에 적용하여, 자신만의 길을 만들어가기를 응원합니다. 꿈을 이루는 과정은 결코 쉬운 일이 아니지만, 그 여정에서 얻는 모든 경험이 여러분을 더 강하고 지혜롭게 만들어줄 것입니다.

끝으로, 이 책을 통해 여러분과 함께할 수 있었던 시간을 소중히 여기며, 여러분의 모든 목표와 꿈이 현실로 이루어지기를 진심으로 기원합니다. 이제 여러분의 'Day One'을 시작하십시오. 지금 이 순간이 바로 그 첫 걸음입니다. 감사합니다.

2024년 06월 05일 혜천(慧天) 이지해